DEN MÖRKA ÄNGELN

Mari Jungstedt

DEN MÖRKA ÄNGELN

ALBERT BONNIERS FÖRLAG

www.albertbonniersforlag.se

ISBN 978-91-0-012223-2
© Mari Jungstedt 2008
Andra utgåva 2009
STC, Avesta 2008

Till Bosse Jungstedt,
älskade bror – alltid i mitt hjärta

Hon var så vacker där hon stod. Vit klänning med brett skärp runt den smala midjan. Det blonda håret uppsatt i en hög knut. Stilsäkert. Hon log mot fotografen, lutade huvudet lite på sned. Koketterade som alltid framför kameran. Ständigt lika välklädd med håret i band och det där bländande leendet. Framför spisen när hon stekte falukorv, när hon plockade äpplen på landet, på väg till bilen med barnen. En fasad. Bräcklig som glaset i fotografiets ram. Han tog porträttet och kastade det hårt i väggen.

Skärvorna som stänkte omkring i rummet var hans liv.

Persiennerna neddragna, vårsolen utestängd. Tystnad i rummet. Långt borta ljud av smällande bildörrar, hundskall. Sirener. Dovt prat från förbipasserande, ett och annat skratt. Gatuljud, livets ljud. Det har inget med oss att göra. Min berättelse avtecknar sig i ansiktet framför mig. Som om linjerna i det djupnat, blicken är medlidsam. Ingen av oss säger något. Återigen har jag redogjort för ett minne från barndomen. Inget märkvärdigt egentligen, inte alls. Bara en bit av vardagen. Fast bilden är fortfarande knivskarp i mig, trots att över tjugofem år förflutit.

Jag var sju år när jag kom på idén att överraska min mamma med frukost på sängen. Nästan direkt när jag vaknade och insåg att alla fortfarande sov landade den i mitt huvud. Jag blev exalterad av tanken. Jag skulle göra mamma glad igen, hon hade varit så ledsen dagen före. Suttit i soffan och grinat. Jättelänge. Hon slutade aldrig. Jag visste inte varför hon var så ledsen. Mamma var ofta så där. Hon grinade och rökte och rökte och grinade. Så pratade hon i telefon hela kvällen och sedan fick vi gå och lägga oss. Det fanns inget jag kunde göra. Varken jag eller mina syskon. Vi blev också ledsna. Men nu hade jag kommit på att det visst fanns något. Jag kunde servera henne frukost.

Ivrigt klev jag ur sängen och tassade ut på toaletten. Hoppades att ingen skulle vakna. Jag ville göra det här själv, utan mina syskons medverkan. Det var mig som hon skulle vara tacksam emot, mig som hon glädjestrålande skulle krama om när jag kom in i hennes sovrum med brickan. Och så skulle allt vara bra igen.

Försiktigt smög jag nerför trappan. Jag minns hur jag knep ihop ögonen vid varje knarrande, livrädd att hon skulle vakna. Nere i köket plockade jag fram en flingtallrik och en sked. Men paketet med cornflakes stod så högt upp i skafferiet. Jag nådde inte. Hämtade en stol vid köksbordet. Så tung den var. Mödosamt kånkade jag in den i det smala arbetsköket och ställde den intill skafferiet. Klättrade upp och sträckte mig efter paketet. Belåtet fyllde jag tallriken och hällde på lagom med mjölk. Mamma var noga med sådant. Det skulle vara lagom. Varken för mycket eller för lite. Socker, det brukade hon vilja ha. Var fanns strösockret? Där, bakom havregrynen. Vad bra. Jag tog skeden och skopade upp en mängd som jag antog var tillräcklig, fast inte för stor. Mamma klagade när det blev för sött, det hade jag hört många gånger.

Vad fattades nu? Visst ja, smörgås såklart. Jag öppnade brödburken. Där låg en limpa. Skogaholm. Jag kunde redan läsa. Mina äldre syskon hade lärt mig. Brödkniven hittade jag i en låda och nu kom det riktigt svåra – att skära upp två skivor. Det skulle nog räcka och om det blev för mycket så behövde mamma inte äta upp. Hon var ju stor och för de stora gällde inte samma regler som för barnen. Problemet var att hon avskydde för tjocka skivor, de skulle vara tunna. Jag sågade med kniven, det blev ganska snett. Tjockt upptill och tunt nedtill. Bekymrat betraktade jag den första skivan. Den blev inte bra. Jag vågade inte slänga den för då skulle mamma bli arg, det var jag säker på. Hon klagade ofta över hur mycket allting kostade. Osten var så dyr så vi barn fick bara ta en skiva var på smörgåsen. Själv tog hon alltid två. Och om jag ville ha ett extra glas mjölk ibland så brukade hon se så missbelåten ut att jag slutade fråga. Villrådig höll jag skivan i handen, vad skulle jag göra med den här? Den skulle aldrig duga. Resultatet av mina ansträngningar skulle bli att hon inte var nöjd med frukosten bara för den där bröd-skivan. Om bara inte brödskivan hade varit för tjock så hade allt varit bra. Den där fullkomliga glädjen i hennes ansikte som jag längtade efter skulle jag inte få uppleva. Det skulle finnas en rynka mellan ögonen eller ett missnöjt drag kring munnen. Bara för den där himla brödskivans skull.

Jag kastade en blick ut i hallen och lyssnade efter ljud. Ingen fara, de sov fortfarande. Raskt tryckte jag in bröd-skivan i munnen bara för att bli av med den. Jag gjorde ett nytt försök och den här gången gick det bättre. Smöret var hårt och klumpade sig när jag skulle bre på. Jag täckte klumparna med osten. Så fick jag en idé. Om jag skulle våga mig på att hyvla upp tre skivor i stället för hennes vanliga två? Skulle hon bli ännu gladare då? Men när jag såg de tre ski-vorna ligga ovanpå varandra på smörgåsarna kom osäkerhe-ten över mig igen. Det såg mycket ut. Tänk om hon blev arg för att jag slösat. Jag vågade inte ta risken utan åt upp även de överflödiga ostskivorna. Jag betraktade mitt verk. Nu var jag nästan klar.

I ett skåp hittade jag en bricka, och en assiett. Mamma avskydde att lägga smörgåsen direkt på bordet. När jag placerat allt på brickan kände jag ändå att det var något som saknades.

Javisst ja, hur kunde jag vara så dum? Kaffet. Kaffet fick jag inte glömma, det var det allra viktigaste. Mamma drack alltid kaffe direkt på morgonen, annars blev hon inte människa som hon sa. Och servett! Hon måste ha något att torka munnen med, hon blev irriterad när det inte fanns papper på bordet. Jag skyndade ut till matplatsen och rev av en bit från hushållsrullen. Den blev lite trasig. Jag gjorde ett nytt försök och lyckades riva av en hel bit. Den trasiga knycklade jag ihop och slängde i soporna. Till sist kaffet. Återigen blev jag osäker. Hur var det man gjorde nu igen? Jag hade sett att hon kokade det på något sätt. Och att hon använde en termos. Vi hade en röd i plast med svart pip och svart lock. Vatten behövdes och så kaffepulver. Det fanns i en plåtburk i skafferiet. Jag tog fram burken, men blev genast fundersam. Hur fick man i kaffet i termosen? Och så måste det ju koka. Jag vände mig om och såg på spisen. Man skruvade på de där knapparna, då blev det varmt. Så mycket visste jag. Jag tänkte intensivt. Det var bara det här som fattades nu, jag måste klara det. Så skulle mamma få sin frukost. Och bli glad igen. Jag chansade på en av knapparna och vred den till sexan. Den högsta siffran borde betyda varmast. Jag väntade en stund och höll handen över plattorna. Den närmaste började bli varm. Hurra. Jag blev ivrig igen, var så nära målet nu. Jag tog tag i termosen och satte på kranen. Fick ställa mig på stolen igen för att nå och så fyllde jag termosen till hälften. Det verkade lagom. Jag tog kaffemåttet och öste upp ganska många skopor i vattnet. Om jag nu ställde den på plattan så borde det koka. Stolt över min snillrikhet placerade jag termosen på den varma plattan. Just då hörde jag hur någon gick in i badrummet på övervåningen. Himlars.

Hoppas att det inte var hon som hade vaknat.

Rätt som det var började det ryka från spisen. Röken luktade förfärligt. Något måste vara fel. I nästa sekund hörde jag mamma dundra nerför trappan. Hjärtat frös i bröstet.

– *Vad i helvete håller du på med?* vrålade hon och ryckte undan termosen från spisen. *Är du helt jävla dum i huvudet? Ska du bränna upp hela huset?*

Röken låg nu tjock i det trånga köket. Mamma var rasande, genom de bolmande dimridåerna såg jag hennes svarta blick. Hon gormade och skrek. Bakom mig hörde jag syskonen komma ner i köket. Min syster började gråta högljutt.

– *Jag ville bara* ... försökte jag och kände hur underläppen darrade. Jag var stel av skräck.

– *Ut,* vrålade hon. *Ut härifrån, jävla förbannade unge!* Hon hötte med den fria handen, i den andra höll hon termosen. *Du har förstört termosen, har du nån aning om hur dyra de här är? Nu blir jag tvungen att köpa en ny. Jag har inte råd!!*

Rösten gick upp i falsett och hon började stortjuta. Vettskrämd rusade jag uppför trappan och stängde dörren till mitt rum. Jag önskade att jag kunnat låsa. Önskade jag kunnat springa ut därifrån och aldrig komma tillbaka. Jag kröp in under täcket som ett skrämt djur, skakade i hela kroppen.

I flera timmar låg jag där. Utan att hon kom.

Och hålet i mig växte.

nvigningen av den nya kongresshallen i Visby utgjorde en av årets absoluta höjdpunkter. Kongresshallen skulle sätta Gotland på konferenskartan och hjälpa till att locka folk till ön under hela året, inte bara soltörstande turister sommartid. Hukande i den nyckfulla aprilvinden skyndade de inbjudna gästerna mot huvudentrén. Visby blåsorkester tutade frejdigt i kastbyarna, håruppsättningar rufsades till, mascara rann, slipsar fladdrade som vimplar från välrakade pomaderade halsar, nypudrade näsor rodnade.

Blåsten ställde även till det för klungan av fotografer som trängdes vid den utrullade röda mattan.

Den samlade lokala pressen var på plats. Till och med ett par kändisfotografer från skvallertidningarna i huvudstaden hade skickats över från fastlandet för att bevaka evenemanget.

Byggnaden glänste i kvällssolen. Pampig, modernistisk i glas och betong, centralt belägen precis utanför ringmuren vid den grönskande parken Almedalen, ett stenkast från havet. Ett onödigt skrytbygge som slukade skattepengar, enligt

14

vissa. Ett framtidsprojekt som gynnade Gotland, hävdade andra.

Flertalet ansikten i strömmen av människor var välkända för öborna: där syntes kommunpolitiker, öns näringslivstoppar, landshövdingen och biskopen, kultureliten och berömda sommargotlänningar som flugits över från fastlandet för att delta i festligheterna. Antalet celebriteter och potentater med sommarhus på Gotland tycktes stiga för varje år.

I entrén stod kvällens värd, festarrangören Viktor Algård, tillsammans med landshövdingen och kommunstyrelsens ordförande och tog emot. Kindpussar smällde i luften, artighetsfraser utbyttes.

Foajén fylldes snabbt och ett glatt sorl steg mellan väggarna. Takhöjden var minst tio meter och inredningen gotländskt stilren i ljusa färger. Unga servitriser rörde sig smidigt kring gästerna och serverade snittar och välkyld Moët & Chandon. Vita liljor hade nogsamt arrangerats i smäckra kristallskålar och stearinljus brann i lyktor på ståborden som var utplacerade här och var. Utsikten genom de enorma glaspartierna var magnifik. Visby visade upp sitt mest sagolika ansikte. Almedalen med dess gröna gräsmattor, dammen med änder och den porlande fontänen. Ringmuren delvis beklädd med murgröna och därinnanför ett gytter av medeltida hus. Sankt Drottens och Sankt Lars tolvhundratalsruiner och som kronan på verket domkyrkans tre svarta torn som högtsträvande sträckte sig mot himlafästet. På andra sidan vidtog det ändlösa havet. Placeringen av kongresshallen hade inte kunnat vara bättre.

När alla gäster anlänt klev landshövdingen upp på ett podium som placerats i ena hörnet av entréhallen. Hon var en parant kvinna i övre medelåldern, klädd i svart, hellång kjol och

15

sidenblus. Det blonda håret var klippt i en elegant frisyr.

– Välkomna ska ni vara allesammans, började hon och lät blicken glida över de festklädda åhörarna. Det är en stor ära att äntligen få inviga vår nya kongresshall här i Visby. Projektet har pågått i fem år och vi är många som har längtat efter att få se resultatet. Och vilket resultat.

Hon svepte med handen över lokalen. En konstpaus. Som om hon ville ge alla tid att verkligen insupa atmosfären och njuta av den smakfulla inredningen. Det ljusgrå golvet utgjordes av gotländsk kalksten från Slite, väggarna pryddes av lönnfaner och den långa receptionsdisken var dekorerad med tovad ull från gotlandsfår. En bred, belyst trappa i amerikansk körsbär gick upp till övervåningen där middagen skulle serveras och dansen hållas.

– Visst har det funnits de som varit skeptiska, fortsatte landshövdingen. Motstånd får man räkna med om man vill förändra. Men jag tror att de flesta inser vilken tillgång kongresshallen kommer att bli för Gotland.

Hon harklade sig. Det hon nyss sagt var en sanning med modifikation. Protesterna mot bygget hade varit många och starka. Att motståndet var så kraftigt hade överrumplat henne. En aldrig sinande ström av klagomål hade kommit in till kommunen och länsstyrelsen ända sedan planerna blev kända. Debatten hade rasat i tidningarna. Farhågor uttrycktes om att gotlänningarnas skrala skattemedel skulle ätas upp av ett onödigt lyxbygge på bekostnad av barnomsorg och äldrevård. Gotlänningarna hade andra satsningar som slutat i katastrof i färskt minne. Man befarade ett nytt Snäck, en satsning på hotell- och andelslägenheter strax norr om stan som hade gått åt fanders och kostat kommunen mångmiljonbelopp. När anläggningen gick i konkurs tvingades kommunen sälja hela klabbet till en lokal entreprenör för en enda futtig krona. Man ville för allt i världen inte att det fiaskot skulle upprepas.

För att inte tala om vilket motstånd kongresshallens placering hade väckt. Schabraket låg mitt i blickfånget i gotlänningarnas älskade park Almedalen och blockerade till råga på allt havsutsikten.

Miljöaktivister hade demonstrerat under hela byggtiden genom att kedja fast sig på området. Deras angrepp hade orsakat förseningar, vilket i sin tur lett till merkostnader. Nu stod i alla fall byggnadsverket här, trots allt. Landshövdingen var lättad över att hela processen nått sitt mål till slut.

– Det kan vara svårt att överblicka vad kongresshallen kommer att betyda, men visst är den ett steg i rätt riktning för att Gotland ska växa. Och den går helt i linje med den gynnsamma utveckling som har skett här på ön de senaste åren.

Ett förtjust mummel och instämmande nickningar från publiken.

– Högskolan växer för varje år och vi har lyckats locka hit fler och fler studenter, fortsatte hon. Våra ungdomar behöver inte längre lämna sin hemö och söka sig till fastlandet för att studera. Flera myndigheter har flyttat hit och i mina ögon ser framtiden ljus ut för gotlänningarna. Företagarna har en framtidstro och turistnäringen har fått ett uppsving med fyrtiotusen fler övernattningar på våra turistanläggningar förra året, jämfört med året dessförinnan. Låt oss nu glädjas över denna utveckling och över vårt nya viktiga tillskott för att främja Gotland – skål allesammans! Skål för kongresshallen!

Landshövdingen darrade på rösten och blev blank i ögonen. Hennes engagemang gick inte att ta miste på.

Alla församlade gäster höjde glasen.

Viktor Algård slog upp en Ramlösa och såg sig omkring. Hittills hade invigningskalaset gått i stort sett planenligt. Egentligen hade det inte funnits någon anledning till oro. Så många fester som han anordnat under årens lopp, det hade gett honom rutin. Gotlands egen Bindefeld. Lite äldre, lite rundare om magen, inte riktigt samma kontaktnät. Men ändå. Viktor Algård var elegant klädd i svart kostym av modernaste snitt. En lila sidenskjorta bröt av snyggt och gav honom en touch av dandy. Han hade passerat de femtio, men måste anses väl bibehållen. Knappt några rynkor i det öppna, vänliga ansiktet, förutom när han skrattade, och det gjorde han ofta. Håret var fortfarande tjockt, mörkt och för kvällen bakåtkammat. Det nådde honom nästan ner på axlarna. Hyn var olivfärgad, ett arv från hans tunisiskfödde pappa. Liksom de mörka ögonen och de fylliga läpparna. I stort sett var han tillfreds, både med sig själv och med sitt utseende.

Nu blickade han belåtet ut över byggnadens hypermoderna bankettsal med plats för upp till tusen gäster.

Det var något visst med att få arrangera en invigning, att befinna sig först av alla på arenan. I månader hade han minutiöst planerat för kalaset. Detaljerna finslipades in i det sista.

Han höjde handen för att vinka till landshövdingen som log mot honom. Han förstod att hon var nöjd. Enda missräkningen var blåsten, som tvingade dem att hålla välkomstskålen inomhus. Men vad gjorde det när champagnen var dyr och glasen nyputsade?

Han tog trappan upp till köket för att kontrollera att allt var som det skulle. Där inne var det hektiskt, åtta kockar arbetade med att få menyn perfekt. Förrätten höll på att läggas upp. Det skulle serveras lax- och citronparfait med fetaost och ruccolacrème, därefter senapsmarinerad lammrostbiff med rotfruktsgratäng och till dessert nougatpannacotta med flädermarinerade hallon. Gotländskt och sofistikerat. Han ropade uppmuntrande till kockarna som svettades vid spisen innan han återvände till baren. Konstaterade belåtet att glasen fylldes på i rask takt. Att det inte snålades i början var viktigt, gästerna skulle värmas upp så snabbt det bara var möjligt. Linnedukarna låg där de skulle och servitriser helt klädda i vitt höll på att tända ljusen i silverkandelabrarna. Det artade sig till en perfekt kväll.

Minglet i entréhallen var i full gång. Av skratten och glammet att döma hade gästerna redan börjat komma i stämning.

En bit bort stod älsklingen i intensivt samspråk med två av öns främsta konstnärer. I sin flammande röda klänning och platinablonda page syntes hon väl bland de övriga gästerna. Nästan drottninglik, om det inte vore för hennes livlighet. Hon skrattade högt och underströk med stora åthävor sina ord när hon uppenbarligen berättade en av sina otaliga anekdoter. De båda åhörarna stod tätt intill henne med hänförda miner.

Han smålog och gav henne ett förälskat ögonkast när han skyndade förbi.

Två månader tidigare hade de inlett sin relation. Det skedde på en vernissage i stan som han hade arrangerat. Hon hade strosat omkring bland tavlorna, de började prata och fick en så god kontakt att de gjorde sällskap därifrån. De promenerade utefter havet och kvällen slutade med gemensam middag. När de skildes åt sent på natten var han förälskad.

Än så länge kände ingen till deras förhållande. De valde att vänta med att visa sin kärlek öppet. Visby var så litet, det pratades och hans skilsmässa från Elisabeth var inte klar. Han ville inte såra henne mer än nödvändigt. Hon var så svag, Elisabeth. Skör, både fysiskt och psykiskt.

Inte alls som älsklingen.

E gentligen ogillade kommissarie Knutas den här typen av tillställningar. Kallprat och en hurtfrisk kärvänlighet som kändes långtifrån äkta. Oftast inte ett enda vettigt samtal på en hel kväll. Line övertalade honom att gå. Knutas hade varit chef för kriminalpolisen i närmare tjugo år och hans ställning förpliktigade. Vissa saker tackade man inte nej till. Invigningen av den nya kongresshallen var viktig för ön. Dessutom tyckte Line att det var roligt att komma ut bland folk. Hustrun var i Knutas ögon ett socialt geni. Pratade lättsamt och engagerat med vem som än kom i hennes väg och lyckades få igång givande samtal med alltifrån den försynte tjänstemannen på kommunförvaltningen till landets mest berömda popsångare. Han begrep inte hur hon bar sig åt.

För kvällen var hon iklädd en gräsgrön tunika med broderade sidenblommor och hon hade låtit det röda midjelånga hårsvallet hänga löst nerför axlarna som på en huldra. De bleka, fräkniga armarna gestikulerade livligt där hon satt på andra sidan långbordet, snett mitt emot honom. Han kunde inte låta bli att le.

21

För en gångs skull hade han haft tur med bordsplaceringen. Till bordet hade han Erika Smittenberg, chefsåklagarens charmerande hustru. En vissångerska från Ljugarn som skrev egna visor och ballader som hon brukade framföra i bygdegårdar och på små krogar runt om på ön. Knutas hade alltid fascinerats över paret Smittenberg, de var så omaka att det nästan blev komiskt. Åklagare Birger Smittenberg var lång, gänglig, lågmält trevlig, men snustorr och korrekt i alla lägen. Hustrun var kortväxt och mullig med ett bullrande skratt som fick glasen på bordet att vibrera och människor att i förskräckt förvåning ideligen vända huvudet åt deras håll. Knutas hade rasande trevligt i hennes sällskap och de pratade om allt utom hans yrke, vilket han uppskattade. Ett samtalsämne de ägnade särskilt stort utrymme var golf, ett av Knutas stora intressen. Ön lämpade sig perfekt för det med sin öppna natur och milda klimat. Erika berättade dråpliga historier om sina umbäranden när hon börjat med sporten något år tidigare.

Våren hade kommit och gräsmattorna låg gröna. Solen sken allt oftare och värmde upp både marken och frusna vintersjälar. Han måste ge sig ut till sin favoritbana Kronholmen en av de närmaste dagarna. Nu var det länge sedan han spelade. Kanske redan i morgon, tänkte han. Bara det slutar blåsa. Förhoppningsvis kunde han få med sig barnen. I takt med att de blev äldre tyckte han att kontakten med dem blev sämre. Tvillingarna skulle snart fylla sjutton och gick första året på gymnasiet. Det var oroväckande hur tiden rusade iväg. Han hann inte med.

Plötsligt kände han hur Erika knuffade honom lekfullt i sidan.

– Vad är det här för en bordskavaljer? Hon plutade trumpet med munnen i låtsad indignation, men ansiktet sprack strax upp i ett leende. Sitter du och drömmer?

– Förlåt, sa han. Log och höjde glaset. Allt prat om golf får mig att längta till Kronholmen. Skål!

Dansgolvet fylldes snabbt till orkesterns smäktande toner. Kaffet var urdrucket och baren hade öppnat. Festen avlöpte väl, konstaterade Viktor Algård. Den svåraste delen av kvällen var avklarad. Att ha middag för över femhundra personer innebar alltid ett vågspel, men serveringen hade gått som smort. Nu började gästerna bryta upp från sina tilldelade platser vid middagsbordet för att söka sig till självvalt sällskap. Vissa gav sig ut på dansgolvet, andra slog sig ner i soffgrupperna som var placerade utefter väggarna.

Viktor Algård växlade några ord med serveringspersonalen, försäkrade sig om att allt flöt på som det skulle. Strax var det dags för en välbehövlig paus. Han försökte få korn på älsklingen i vimlet, men kunde inte upptäcka henne någonstans. Ville gärna dra sig undan tillsammans med henne en stund. Bara de kunde göra det obemärkt. Antagligen hade hon blivit uppbjuden av sin bordskavaljer. Han tittade på klockan. Kvart i tolv. Middagen hade dragit ut på tiden, vilket i och för sig var ett gott tecken. Stämningen hade varit hög kring borden ända från början och folk hade haft mycket

24

att prata om. Kvällens överraskning skulle inta scenen vid midnatt och nu kunde han lika gärna vänta tills showen drog igång. Han smuttade på sitt mineralvatten och lät tankarna vandra iväg. Hustruns ansikte dök upp på näthinnan. Den anklagande blicken. Som om hon visste. Inte för att det kunde vara någon överraskning. Deras äktenskap hade gått på tomgång länge, de levde livet sida vid sida men korsade sällan varandras vägar numera. De bodde ensligt på en stor gård ute på landsbygden i Hamra på storsudret. Elisabeth ägnade sig åt sin vävning i ladugården som byggts om till ateljé. Det var som om hon inte behövde honom. Han koncentrerade sig på jobbet och sin stora umgängeskrets. Det hade blivit många vänner genom åren. Elisabeth ogillade de flesta. Hon var en enstöring, avskydde tillställningar som denna. Migränen hon fått samma eftermiddag var säkert bara en förevändning för att få slippa. Effektivt att ta till när det var något hon inte ville. Ingen kunde ifrågasätta henne när hon låg där på sängen i det mörklagda sovrummet med en handduk över huvudet. I och för sig var han bara tacksam. Det gjorde att han i lugn och ro kunde smita hem till älsklingen efteråt i stället för att sova i övernattningslyan.

När han nyligen drabbats av den omstörtande förälskelsen framträdde torftigheten i hans äktenskap med brutal tydlighet. Drömkvinnan virvlade in i hans liv och vände upp och ner på hela honom. Han var uppslukad av henne. Först då insåg han till fullo allt han saknat. Passion. Lust. Intresse. Njuta av att bara vara tillsammans. Gemenskap. Tvåsamhet.

Barnen hade flyttat hemifrån för länge sedan och bodde på fastlandet. De hade sina egna liv. Han längtade efter att få bli fri. Slippa smussla längre.

Tankarna avbröts ideligen av olika människor som ville

prata, tacka för en fin fest eller bara skaka hand. Han log till höger och vänster, gladdes åt att de verkade nöjda.

Så tystnade musiken och ersattes av trumvirvlar. Ljuset släcktes ner och strålkastare lyste upp enbart scenen. Allas koncentration riktades dit. Det var dags för kvällens överraskning.

När den populära sånggruppen Afrodite intog scenen applåderades det vilt. De tre vackra och glamorösa kvinnorna Kayo Shekoni, Gladys del Pilar och Blossom Tainton sjöng inte bara som soulgudinnor utan hade även värme, humor och charm som de frikostigt delade med sig av. Det fanns få artister i Sverige med sådan "star quality", tänkte Viktor Algård och var glad över att han lyckats få dem hit. Han lät sig ryckas med av gruppen som fem år tidigare vunnit svenska folkets hjärtan när de kammade hem en storseger i Melodifestivalen. Plötsligt kände han hur någon tog honom i armen.

– Hej, hur har du det?

Hon såg glad och varm ut, lite blank i ansiktet. Ögonen lyste.

– Bra, jag bara väntade på att du skulle dyka upp. Jag tänkte ta en paus, passa på nu under showen. Vill du följa med?

– Ursäkta att jag stör...

Bartendern stod plötsligt bredvid dem och räckte fram en drink.

– Till damen – med hälsning från en beundrare.

Viktor kände hur han mulnade.

– Men, vad... skrattade hon och såg sig förvirrat omkring. Oj då, det är man inte bortskämd med precis.

Hon betraktade förvånat den färgglada drinken.

– Från vem?

Bartendern pekade mot andra sidan baren.

– Nej, han har visst gått.

Hon vände sig mot Viktor igen.

– Du, jag måste bara gå på toaletten. Var träffas vi?

Han pekade på trappan bakom baren.

– Gå ner där, den delen är avstängd så vi kan sitta i fred.

– Jag snabbar mig. Kan du ta mitt glas så länge?

– Visst.

Viktor Algård sa till bartendern att han skulle bli borta en stund, smet sedan iväg innan han blev stoppad av ännu en pratsam gäst. Antagligen lade ingen märke till att han försvann, alla hade koncentrationen riktad mot det som hände på scenen.

På nedervåningen fanns en mindre bar och några soffgrupper, en altandörr som vette mot en stenlagd terrass och en ödslig sidogata. Han gick ut på den, tände en cigarett och tittade bort mot havet. Njöt av lugnet, i mörkret kunde han bara höra hur vågorna slog in mot stranden.

Han drog några djupa bloss.

Temperaturen hade sjunkit betydligt, han huttrade till. Kylan tvingade honom att fimpa och återvända in. Han slog sig ner i soffan, puffade upp ett par kuddar bakom ryggen, lutade sig tillbaka och slöt ögonen. Kände med ens hur trött han var.

Plötsligt ryckte han till av ett ljud i närheten. Ett svagt skrammel bortifrån personalhissen. Han kunde inte se hissen från soffan där han satt – men visste att den låg bortom hörnet, vid utgången till terrassen. Han stelnade till. Älsklingen kunde knappast vara tillbaka från damrummet redan.

Han lyssnade spänt, det sista han önskade just nu var en utomståendes sällskap.

Musiken och stimmet från övervåningen hördes tydligt, fast ändå på distans. Han tittade bort mot den igenbommade baren men där var tomt. En blick ut på gatan. Den låg lika mörk och ödslig som tidigare. Hade någon smitit in medan han var ute och rökte? Han hade faktiskt gått en bit bort på terrassen och vänt ryggen till. Tankarna pendlade oroligt fram och tillbaka. Nu var det tyst igen. Inte en rörelse.

Han skakade på huvudet, hade väl inbillat sig. Kanske var det ett par som smugit iväg från festen, på jakt efter en undanskymd vrå. Sådant förekom på var och varannan fest. Men så upptäckte de honom där i soffan. Han kastade en blick på klockan. Tio minuter hade passerat. Hon borde vara tillbaka när som helst.

Drinken såg frestande ut och han var törstig igen. Han sträckte sig efter glaset.

Knappt hade han sköljt ner klunken förrän en brännhet flamma sköt upp genom halsen. Förvånat höll han glaset framför sig, granskade innehållet. Smaken var frän, påminde om något, men han kunde inte erinra sig vad. Nu kände han även en stickande lukt.

I samma ögonblick greps han av yrsel, fick svårt att andas, häftiga kramper genomfor hans kropp. Han reste sig mödosamt, tog några stapplande steg framåt, formade munnen till ett hjälp, försökte ropa. Inte ett ljud kom över hans läppar. Rummet blev suddigt.

Viktor Algård tappade balansen och föll.

Kronholmens golfbana var vackert belägen på en udde med havet runt omkring. Idyllen hade dessvärre ingen positiv effekt på stämningen. Anders Knutas skakade på huvudet åt sonen Nils, som för tredje gången på en timme fick ett utbrott för att han inte lyckades få bollen i hålet. Inspirerad av gårdagskvällens samtal med sin bordsdam och att det därtill var fint väder hade han tagit med tvillingarna till Kronholmens golfbana för några timmars trevligt umgänge. Snabbt insåg han att han borde vetat bättre. Båda befann sig mitt i en explosiv pubertet och fick raseriutbrott för minsta småsak. Det senaste halvåret hade varit näst intill olidligt. Bara han frågade Petra om hon ville ha juice vid frukostbordet så fräste hon ifrån: *Gud, vad du tjatar, pappa!* Nils tyckte han lade sig i för mycket om han dristade sig till att undra hur fotbollsträningen hade gått. Två sextonåringar i samma hormonella kaos var inte att leka med.

När han hämtat söndagstidningen ur brevlådan på morgonen och tittat upp mot den molnfria vårhimlen hade en runda på golfbanan med ungarna verkat som en ypperlig idé. Vinden hade lagt sig helt. Dagen var klar och stilla. Solen sken och värmde skönt i ryggen.

Men vad hjälpte det. Han ångrade sig redan.

– Helvetes jävla piss! Jag hatar den här förbannade golf-skiten!

Högröd i ansiktet lyfte Nils klubban och drämde den med full kraft i golfbagen bredvid sig. Klubban skar tvärsigenom skinnet, orsakade en bred glipa i bagen och slog dessutom hål på en flaska Coca-Cola, vilket resulterade i att läsken sprutade som en fontän och stänkte ner Nils nya jeans.

Knutas ilsknade till. Efter att ha stått ut med sura miner ända sedan morgonen brast tålamodet.

– Nu får du ge dig, röt han. Ska du förstöra din fina golf-bag som du fick i julklapp? Det blir ingen månadspeng förrän du har betalat tillbaka vartenda öre!

Argt rafsade han ihop sina saker och fortsatte indignerat att gräla.

– Här försöker man fixa det lite mysigt och göra nåt roligt tillsammans, så är det bara sura miner. Ja, det gäller dig med, Petra. Det är inte okej. Ni beter er som bortskämda småungar, bägge två!

– Jag skiter i det, skrek Nils efter honom. Jag vill inte ha nån ny golfbag för jag vill ändå sluta spela golf! Jag hatar det!

– Skäll inte på mig, jag har inte gjort nåt, fyllde Petra trumpet i.

Knutas stolpade iväg mot bilen.

Han var arg, ledsen och besviken. Ibland kände han sig sannerligen otillräcklig som förälder. Numera förstod han sig inte på sina barn.

I bilen på väg tillbaka till stan låg tystnaden tjock. Nästan tre mil utan att ett ord yttrades. Knutas visste inte längre hur han skulle närma sig dem. Vad han än sa så blev det fel. Lika bra att hålla tyst.

Sådana ambitioner som han hade haft när han fick barn. Med liv och lust hade han gått in i papparollen, försökt att inte jobba alltför mycket. Lekt när han haft tid, fiskat och byggt kojor på landet på semestern, försökt hinna se åtminstone några matcher varje säsong. När han träffade deras kompisar hemma var han alltid bussig och skojfrisk. Ett år hade han till och med varit klassförälder i skolan. Han hade varit så naiv att han inbillat sig att deras goda kontakt skulle hålla hela livet. Att grunden han och Line arbetat för att bygga upp var stabil. Det senaste halvåret hade gjort honom luttrad och desillusionerad. Smygande hade den smärtsamma insikten nått honom, att relationen med barnen var skör och bräcklig, att den kunde vittra sönder när som helst. Ändå ville han innerst inne tro att allt var bra. I grund och botten.

Han parkerade utanför huset och konstaterade till sin lättnad att det lyste i köket – Line var hemma, de var åtminstone två om eländet. Hans båda avkomlingar gick flera meter framför honom med snabba steg uppför grusgången. Ryggtavlorna signalerade avstånd.

– Hej, hade ni kul? ropade Line från köket när de klev in i hallen.

– Ja, jätte, muttrade Nils surmulet, sparkade av sig skorna och försvann uppför trappan.

Knutas hörde hur hans dörr slog igen. Han satte sig vid köksbordet med en uppgiven suck.

– Herregud, vad gör man?

– Vadå?

– Allt blir bara fel hela tiden, jag fattar inte varför de är så förbaskat aviga. Särskilt Nils. Kan du tänka dig vad han gjorde? Han blev så förbannad att han slog sönder sin nya golfbag. Jag sa till honom att han får betala en ny och då svarade han att han skiter i det för han vill sluta spela!

– Det kallas frigörelse, sa Line torrt och tog fram kaffekoppar på bordet. Det är bara att ta det lugnt, sitta still i båten.

Knutas skakade på huvudet.

– Jag kan inte minnas att jag höll på så där. Vi tillhör en annan generation. På den tiden behandlade man sina föräldrar med respekt. Man varken sa eller gjorde vad som helst. Eller hur?

Line svepte undan sin tjocka, röda fläta och lade den på ryggen innan hon hällde upp kaffet. Så satte hon sig på stolen mitt emot och gav honom en ironisk blick.

– Hör du inte själv hur mossig du låter? Har du helt glömt bort hur det var? Du har ju berättat att när du inte fick åka till Köpenhamn och campa med en tjej så liftade ni till Paris i stället utan att du sa ett ord till dina föräldrar. Allt de fick var ett vykort med Triumfbågen. Din mamma har till och med visat mig kortet. Hur gammal var du, sjutton?

– Okej, okej, sa Knutas avväpnande. Det är bara så ovant att man inte har nån koll längre. Ingen kontakt. Jag når inte fram till Nils. Han skärmar av sig.

– Jag vet. Men se det som en period. Just nu är det nog värst för dig. Han behöver komma bort ifrån dig för att hitta sig själv. De håller på att bli vuxna, Anders.

– Jag blir så orolig bara.

Hon lade sin hand på hans.

– Visst, men kommer du ihåg hur det var i höstas när Petra knappt sa ett ord till mig på flera månader? Nu är det mycket bättre. Jag tror att Nils går igenom samma sak. Ta det bara lugnt, det går över. Det är smärtsamt för dem att frigöra sig, för att de ska klara det måste de nedvärdera oss under en period. Det är helt naturligt.

Knutas betraktade tvivlande sin hustru. Han önskade att han kunde vara lika oberörd. Han öppnade munnen för att säga något, men avbröts av att telefonen ringde.

Vakthavande meddelade att en man hittats död i kongresshallen.

Allt tydde på mord.

Morgonen har återigen grytt som en smärtsam bekräftelse på att livet fortsätter. Jag sitter, eller snarare halvligger, i soffan som jag brukar. Som vanligt bär jag på en känsla av overklighet.

Sedan flera timmar har jag legat här, bytte från sängen till soffan i en tröstlös förhoppning om att kunna somna om. Minnen från barndomen tränger sig allt oftare på. Det är som om tiden hunnit ifatt. Jag kommer inte undan.

En sommar hälsade vi som vanligt på hos mormor i Stockholm. Vi skulle äntligen åka till Skansen. Mamma hade lovat det länge. Jag hade sett fram emot besöket i flera veckor. Kunde inte tänka på annat. När söndagsmorgonen kom var jag så ivrig att jag knappt fick i mig någon frukost. Jag älskade djur och tjatade ständigt och jämt om att jag ville ha en hund. Eller en katt. Åtminstone ett marsvin. Jag var åtta år gammal och skulle för första gången få besöka en djurpark.

Solen sken utanför fönstret och mamma var på ett strålande humör.

Vid frukostbordet åt hon glupskt sina smörgåsar och stjälpte i sig kaffet. Ivrig att få allt packat så att vi kunde komma iväg.

– *Visst ska det bli roligt att titta på alla djuren, barn? Och Skansen är så vackert!*

Hon stökade omkring i köket, fixade och donade, trallade med i "Leva livet" med Lill-Babs på radion. Bredde smörgåsar med sallad, ost och skinka, blandade till saft och tog fram kanelbullar ur mormors frys.

– *Vi tar med oss matsäck så kan vi sitta i den fina parken där vid Solliden. Där har man utsikt över hela stan, förstår ni. Åh, vad härligt det ska bli!*

Hon skyndade in i badrummet, sminkade sina långa vackra ögonfransar så de blev ännu längre. Jag satt på toalocket och tittade beundrande på henne när hon gjorde sig i ordning.

– *Du har så fina ögon, mamma.*

– *Tycker du,* fnittrade hon förtjust. *Tack lilla gubben!*

Mormor var för skröplig för att följa med så vi skulle åka dit med moster Rut och kusinen Stefan som var några år äldre än jag. Moster Rut var ensamstående precis som mamma. Hennes man hade lämnat henne därför att han blivit kär i sin sekreterare. Familjen bodde tidigare i en villa i Saltsjöbaden och "hade det gott ställt", som mamma uttryckte det. Nu hade moster Rut flyttat med Stefan till en lägenhet på Östermalm.

Vi tog tåget, mormor bodde flera mil utanför stan. Jag blev mer och mer spänd för varje station vi passerade. Kunde knappt sitta stilla. Mina syskon pratade på med mamma, kommenterade utsikten genom fönstret och människor som promenerade förbi på perrongen när tåget stannade på en station. *Titta på den där konstiga hatten tanten har! Var är vi nu? Såg du fyllgubben? Hur långt är det kvar? Vilken gullig hundvalp!*

Jag kunde inte koncentrera mig. Ville bara sitta där tyst tills vi var framme.

Efter en evighet kom vi fram till Stockholms Central. Därifrån tog vi bussen till Skeppsbron i Gamla stan varifrån färjan gick. Mamma tyckte inte om att åka tunnelbana. Det luktade så illa, sa hon. Och så var där så många opålitliga människor.

Moster Rut och Stefan väntade på kajen när vi kom fram. Mamma och Rut kramades, jag och mina syskon tog i hand. Vi sågs inte så ofta, bara några gånger om året. Stefan verkade glad över att träffas och det gjorde mig lätt till sinnes. Jag hade varit lite nervös.

Vi klev på båten och vi barn höll oss utomhus. Solen sken, vattnet glittrade. Det var maj, snart sommar, och jag skulle gå ut andra klass. Jag och Stefan stod bredvid varandra och hängde över relingen, betraktade Gamla stans kyrkor och hus med trånga gator som försvann allt längre bort bakom oss.

Mamma och moster Rut satt inne för att det blåste. Båda hade håret uppsatt med en scarf, Rut en marinblå och mamma en rosa. Det var hennes älsklingsfärg. Hon var chict klädd i svart snäv kjol och en kort rosa jacka med stora knappar. Jag var stolt över mamma. Hon var jättesnygg. Jämfört med henne såg Rut ut som en tant, fast de var nästan lika gamla. Mamma var smal och verkade mycket yngre. Hon satt därinne och skrattade och var så söt. Jag var glad för att hon var glad.

Och snart skulle jag få möta alla de djur i verkligheten som jag bara sett på bild eller på TV. Jag kunde knappt tro att det var sant.

Med ens låg Djurgården framför oss. Stefan pekade. *Ser du Grönan? Bergochdalbanan? Den du. Den har jag åkt massor av gånger. Tycker du att den är läskig?* Jag skakade på huvudet. Hade aldrig varit där, men det kändes oviktigt just då. Jag skulle få komma till Skansen.

Båten lade till och alla klev av. Det var mycket folk och jag höll på att tappa bort de andra i trängseln framför Gröna Lunds entré. Plötsligt kände jag hur någon nöp mig hårt i armen. *Vart tog du vägen?* väste mamma irriterat. Den elaka rösten var där på ett ögonblick, trots att hon skrattat så gott nyss. *Du måste hålla dig nära oss, begriper du väl?*

Klumpen i magen kom tillbaka och lade sig på sitt vanliga ställe. Jag försökte mota undan den, glömma bort den. Vi var ju nästan framme. Jag slängde iväg en kommentar till Stefan i ett halvhjärtat försök att skämta, ansträngde mig för att vara som vanligt. Nu skulle vi ha roligt. Jag hade sett fram emot besöket så länge. Djuren väntade där inne.

Vid entrén fick vi stå i kö. Mamma blev stram i ansiktet. Det var säkert trettio människor framför och vi stod längst bak. Oron i magen växte. *Det tar nog inte så lång tid, mamma. Jag kan ta väskan.*

Solen sken, det var varmt i luften och människorna runt omkring verkade inte det minsta besvärade över att de fick vänta. De pratade och skrattade och skojade. Jag önskade att mamma kunde vara lika obekymrad.

Kön sniglade sig fram. Rut pudrade näsan. Mamma tände en cigarett. *Gud vilken tid det tar. Vad håller de på med där framme?*

När vi äntligen passerat vändkorset måste alla gå på toaletten. Själv var jag för spänd för att kunna kissa.

Skansen låg högt uppe på berget och vi började gå promenadvägen uppför. Strax dök en glasskiosk upp och då stannade Rut.

– Nu bjuder jag alla på glass! Så sätter vi oss ner och får ny energi innan vi fortsätter upp. Skansen är stort vet ni barn, det tar lång tid att gå runt. Precis här ovanför finns elefanterna och ni måste äta upp glassen innan vi kommer dit, för annars kanske de snyter den mitt framför näsan på er! Ni får välja vilken glass ni vill!

Mammas ansträngda min försvann när hon satt vid ett kafébord med en kopp kaffe och en vaniljstrut.

– Det här var nog precis vad vi behövde, sa hon tacksamt och log mot Rut.

Stämningen blev genast lättare och jag andades ut.

När vi skulle välja glass var jag först försiktig och vågade inte ta en mjukglass i våffla som jag helst ville ha. Men Rut envisades och gav sig inte förrän jag valde just den. Mannen i glasståndet blinkade till mig och lät mjukglassen ringla ur maskinen hur länge som helst tills jag hade den högsta glassen jag någonsin sett. Hänförd tog jag emot den med varsamma händer. Vanilj och choklad blandat, det smakade ljuvligt. Jag hade bara ätit mjukglass några gånger förut och det var det bästa jag visste. Jag slog mig ner bredvid mamma vid bordet.

Det pirrade i magen när jag tittade upp mot ingången till elefanthuset. Snart skulle vi vara där. Alla barnen hade fått likadana glassar och när jag tittade på de andras kring bordet konstaterade jag förnöjt att min nog var lite högre. Som om kusinen läst mina tankar utropade han plötsligt.

– Vem har störst?

Stefan lutade sig fram för att jämföra. Jag reste mig till

hälften för att göra likadant. I min iver råkade jag stöta till mammas kaffekopp. Den for av bordet och rätt ner i hennes knä. Jag kan fortfarande höra hennes illvrål när det heta kaffet spilldes ut över hennes kjol och bara ben. Jag hoppade till så högt att jag tappade glassen.

– *Vad i helvete tar du dig till, unge!* vrålade hon och började storgråta i nästa sekund.

Rut flög upp från bordet och började nervöst badda hennes kjol med pappersservetterna från hållaren på bordet medan hon försökte trösta. *Såja, det var inte så farligt. Vi torkar upp här och så kan vi gå in på toaletten sen och skölja av med vatten. Kjolen torkar snabbt i solen, ska du se.*

Vi barn satt tysta och förskräckta medan mamma grät, ömkade sig och grälade om vartannat. *Varför ska allting alltid bli förstört? Kan man aldrig få vara lite glad?* Jag lade märke till att människorna vid de andra borden tittade förvånat och förfärat på mamma.

Sen kände jag till min fasa hur det började rinna längs benen. När mamma upptäckte det blev hon ännu mer rasande.

– *Ska du kissa i byxorna som en annan bebis? Räcker inte det här som du redan har ställt till med? Räcker det inte, jävla förbannade skitunge! Du förstör ju allt – precis allting!*

Skräckslagen satt jag som fastfrusen på stolen, oförmögen att röra mig. I handen höll jag fortfarande den tomma våfflan.

Mamma var knäpptyst och sammanbiten hela vägen tillbaka hem till mormor. Jag fick aldrig se några elefanter. Skansen skulle jag aldrig mer besöka.

Söndagen började i stillsamt tempo på Regionalnytts redaktion i Visby. Det var inte ofta Johan Berg måste jobba söndagar, men det inträffade några gånger per år. Det som irriterade honom var att redaktören meddelat att de just denna dag inte behövde leverera något inslag, sändningen fylldes av huvudredaktionen i Stockholm. Att sitta av tiden på redaktionen när det ändå inte hände något kändes som ett idiotiskt resursslöseri, men att försöka begripa sig på Sveriges Televisions organisation var lönlöst, tänkte han surt. Han hade verkligen behövt sova.

Nu drack han sitt morgonkaffe och åt en smörgås vid skrivbordet. Han vägde håglöst på stolen och tittade sig kritiskt omkring i den trånga redaktionslokalen. Blicken gled över bokhyllor, datorer, anslagstavlan, fönstren med utsikt över en park. Högar med osorterade papper, kartan över Gotland som ständigt gav honom dåligt samvete över alla små socknar de nästan aldrig besökte.

Gotland var visserligen Sveriges största ö, men avståndet mellan Fårös nordspets och Hoburgen längst i söder var inte ens arton mil och ön var knappt fem mil på det bredaste stället. Därför borde vi göra mer, tänkte Johan. Vi borde täcka in fler delar.

Som reporter på Regionalnytt i Stockholm med Gotland som sitt bevakningsområde var han luttrad efter alla år med tidspress och undermåliga resurser. Fast visst hade det blivit bättre. Från det dammiga kyffe redaktionen varit inhyst i från början till dagens fräscha och moderna TV- och radiohus, tio minuters promenad från centrum. Lokalerna var ändamålsenliga, men de behövde ändra sina rutiner. Bli mer strukturerade, målinriktade, ha en medveten strategi för hur de arbetade. Nu gick det mesta ur hand i mun. Oftast bestämde han och fotografen Pia Lilja själva vilka jobb de skulle göra, men eftersom de bara var två personer anställda på redaktionen så var det svårt att få tiden att räcka till för research. Redaktionschefen i Stockholm, Max Grenfors, ville att de skulle leverera ett inslag per dag i en jämn, aldrig sinande ström så att sändningarna fylldes utan problem. Helst sisådär två minuter långt, lagom nyhetsmässigt, lagom ovidkommande, eftersom ju längre man kom utanför Stockholms tullar, desto mindre angeläget. Enligt hans sätt att se på saken. Hur många gånger hade Johan inte fått stånga sig blodig mot Max Grenfors för att väcka intresset för problem på Gotland – landsbygdsproblem visserligen, men som även kunde sättas in i större sammanhang.

Han satte sig vid datorn. De hade ett högaktuellt ämne som gott och väl kunde appliceras på Stockholm och även övriga landet för den delen – det ökande ungdomsvåldet. Han klickade fram en porträttbild på en sextonårig pojke som täckte hela skärmen. Alexander Almlöv, brutalt misshandlad en sen kväll utanför ett ungdomsdiskotek i Visby. Så misshandlad att han låg i koma på intensiven på Karolinska sjukhuset och fortfarande, två veckor efter den ödesdigra natten,

41

svävade mellan liv och död. Han hade hamnat i bråk med en skolkamrat utanför diskoteket Solo Club nere på Skeppsbron som hade haft en specialkväll för gymnasieelever. Hundratals ungdomar från hela ön hade tagit sig dit, och trots att alkohol inte serverades till dem som var under arton dracks det friskt av medtaget hembränt ute på gatan. Bråket hade börjat med ett gruff inne på diskoteket och trappats upp när de inblandade blev utkastade av vakterna och flera andra lade sig i. Det slutade med att Alexander jagades ner i hamnen där han slogs medvetslös bakom en container. Han hade fått ta emot sparkar och slag, både i huvudet och mot kroppen. Efter att ha förlorat medvetandet lämnades han åt sitt öde. Några vänner gav sig ut för att leta och hittade honom bara några minuter senare. Det räddade troligen hans liv. Om det nu var räddat. Fortfarande var utgången oviss.

Misshandelsfallen bland ungdomar hade ökat markant under senare år, och blivit allt grövre. Vapen användes i större utsträckning, knivar, batonger och till och med ett och annat skjutvapen. Johan ville berätta om det tilltagande våldet och möjliga orsaker. Slagsmål ungdomar emellan inträffade annars mest på sommaren då ön invaderades av turister. Visby var populärt bland yngre på grund av det soliga vädret, de långa sandstränderna och kroglivet.

– Tjena.

Yrvaket tittade han upp från pressklippen. Han hade inte märkt att fotografen Pia Lilja kommit in.

Hon satte sig med en utdragen gäspning vid sitt skrivbord mitt emot Johans och slog på datorn.

– Fan vad trist att jobba en söndag. Finns det nåt att göra över huvud taget?

– Inte ett dugg, som det verkar. Är du trött?

Hon tittade på honom med sina kraftigt sminkade ögon, blicken var spefull.

– Ja, jag fick inte så mycket sömn i natt.

– Har du nån ny på gång?

– Det kan man väl säga.

Pia Lilja hade i och för sig alltid någon ny på gång. Hennes aptit på män verkade omättlig och kärleken från männens sida var besvarad. Pia var tjugosex år, lång och slank, och det svarta håret spretade åt alla håll. Hon var piercad i näsan och naveln som pryddes med stenar i olika färger och hennes ögonmakeup var, utan att överdriva, färgstark. Nu lyste ögonlocken i turkos.

Han var glad att hon aldrig gett honom några inviter, han hade ändå inte varit intresserad. När de började jobba ihop hade Johan redan träffat Emma Winarve som var hans stora kärlek och numera även hans fru.

– Nån man vet vem det är? frågade han.

– Knappast. Han är fårbonde på Sudret. En riktig eremit. Men snygg och sexig. Stora muskler och en härlig energi.

Hon fick något drömskt i blicken.

– Hur träffade du honom?

– Jag åkte förbi hans gård tidigt en morgon och i en av hagarna stod hundratals lamm i morgondiset. Det var verkligen oemotståndligt. Jag var tvungen att stanna och fota. Och där kom han, gående ut ur dimman som en jäkla sagofigur. Men du då, är du bakis, du var ju på fest i går – var det kul att frottera sig med societeten?

Ända sedan han tackade ja till att gå på kongresshallens invigning hade hon pikat honom.

– Jodå. Helt okej. Gratis champagne och god mat. Vi småbarnsföräldrar kommer ju inte ut så ofta så vi får passa på när tillfälle bjuds.

– Du är för helskotta journalist – du måste stå oberoende, sa Pia uppbragt och slog ut med sina långa armar. Vad händer om det visar sig att ägarna i det där jäkla konsortiet, eller vad det nu är som står bakom bygget, har fifflat med skattepengar? Eller att delar av kongresshallen är ett svartbygge? Eller om han, den där maffiatypen som arrangerade festen, Algård, skulle sälja svartsprit till ungdomar på sina tonårsdiskon, eller langa knark?

– Jag hoppas att jag kan hålla isär de grejerna.

Johan log svagt. Visst hade han haft sina dubier. En handfull reportrar hade varit inbjudna till festen, och han var en av dem. Han hade blivit fånigt smickrad när han fick inbjudan och skämdes på samma gång över att han villigt lät sig bjudas av det etablissemang som han var satt att granska. Men man kunde väl inte säga nej till allt bara för att man var journalist, hade Emma resonerat när han diskuterat sin inbjudan med henne. Skulle verkligen ett enda kalas påverka hans sätt att göra sitt jobb? Om det nästa vecka kom fram att kommunstyrelsens ordförande har fifflat med spritnotor, skulle han inte rapportera om det som vanligt, trots att han var på den där festen? Jovisst, det skulle han. Och dessutom, hade Emma fortsatt, är det väl bra att röra sig i samhället som journalist även på tillställningar som denna? Få en bild av folk, knyta kontakter? Bara för att han umgicks med vissa personer ibland så måste de inte bli bästa vänner.

Han hade gått dit, men var inte helt överens med sin magkänsla. Gick det verkligen att hålla distansen? Träffade man personer privat så borde känslor väckas förr eller senare och grumla sikten. För att minimera risken borde han antagligen avhålla sig helt från den här typen av umgänge. Pia hade nog rätt, men eftersom hon var så retsam i tonen ville han inte

44

tillstå att han innerst inne faktiskt höll med henne. I stället bytte han ämne.

– Om vi ska snacka jobb så tycker jag att vi borde planera fler knäck om ungdomsvåldet. Och om vi mot all förmodan förväntas producera ett inslag till sena sändningen så kan vi alltid göra nåt på Alexanderfallet. Hans tillstånd har i och för sig inte förändrats, men vi kan snacka med ungdomar om helgen som gått. Enligt vakthavande har det varit förhållandevis lugnt på stan. Troligen påverkar misshandeln. Förresten är Alexander bara en i raden, även om han råkat ovanligt illa ut.

Han rafsade fram en mapp i högen på skrivbordet som han räckte över till Pia.

– Jag har samlat ihop fyrtiofem misshandelsfall där ungdomar har varit inblandade det senaste året här på Gotland. Ingen har skadats allvarligt tidigare men det känns som om det bara är en tidsfråga innan nån dör – om nu Alexander klarar sig, vill säga.

– Ja, fy fan, suckade Pia. Några kusiner till mig var med om ett bråk där en kille blev ordentligt misshandlad i somras. Han är nog med i den här statistiken. Han vid Östercentrum om du kommer ihåg?

– Påminn mig.

– Han blev slagen med järnrör och batonger, men jag har för mig att de slog mest på kroppen, inte i huvudet. Mina kusiner var inte med i själva bråket, men de såg allt. Det där är så obegripligt tycker jag, hur folk bara kan stå och glo utan att göra nåt.

– Ja, det är märkligt. Det är svårt att föreställa sig hur man själv skulle reagera. Det där är en aspekt av det hela. En annan del som jag tycker glöms bort, både i den allmänna debatten och om ungdomsvåldet, är föräldrarna. Var är för-

45

äldrarna? Vad gör de? Vad tycker de? Hur känner de? Vilket ansvar har de för att det har gått så långt? Vad gör de för att stoppa våldet? Som i det här Alexanderfallet till exempel. Ingen av föräldrarna har uttalat sig i medierna, varken offrets eller förövarnas, de var ju ändå fem stycken som polisanmäldes. Man tycker att nån borde vilja säga nåt.

– Det är inte ett dugg konstigt. De skäms såklart. Tänk på att du är på lilla Gotland nu där alla känner alla, mer eller mindre. Eller känner nån som känner nån. Det är inte så lätt att gå ut offentligt och tala om att ens son är en brutal misshandlare. Som kanske kommer att anklagas för delaktighet i mord om det vill sig riktigt illa. De är väl häktade?

– Tre av dem, två släpptes i väntan på rättegången därför att de är så unga. Bara femton år.

De avbröts av att telefonen ringde. Redaktören i Stockholm meddelade att de kunde gå hem. Kvällens sändningar var redan överfyllda med material.

De uppmanades att ha sina mobiltelefoner påslagna om något mot all förmodan skulle hända.

Det var lugnt utanför kongresshallen när Knutas kom dit. Ett par polisbilar hade parkerats slarvigt mitt framför huvudentrén, annars märktes ingen aktivitet. Därinne träffade han genast på kriminalteknikern Erik Sohlman som just anlänt. En av ordningspoliserna visade dem vägen till fyndplatsen. Några städare stod vid sina vagnar och pratade upprört med polisen. En kvinna med asiatiskt utseende grät högt i en soffa.

Känslan var smått surrealistisk när han passerade foajén, samma plats där han mindre än ett dygn tidigare stått och skålat i champagne i minglet med hundratals festklädda människor. Nu var scenen komplett annorlunda. De passerade den ödsliga och skräpiga salongen på entréplanet och hamnade i ett mindre rum med några soffor och en bardisk. Den delen hade varit avstängd under lördagskvällen.

Längst bort i ena hörnet fanns en trång, undanskymd personalhiss där kroppen låg, benen stack till hälften ut ur hissen. Den döde var klädd i en sidenskjorta och svarta byxor. Håret var mörkt och bakåtkammat, en lock hade åkt fram

47

i pannan. Svarta blanka skor på fötterna med sulor som knappt var nötta.

– Ser du vem det är? frågade Knutas sammanbitet.

– Nej. Jag känner inte igen honom.

– Viktor Algård. Det var han som arrangerade festen i går.

Bilderna av lördagskvällen flimrade förbi. Festfixaren, elegant klädd som alltid. Full av sprittande entusiasm hade han tagit emot gästerna, sedan sprungit runt, konverserat till höger och vänster, passat upp. Sett till att allt fungerade. Nu låg han här, stendöd. Det var en skrämmande syn och Knutas erfor ett lätt illamående.

– Men kolla färgen. Märkligt, mumlade Sohlman. Han satte sig på huk, granskade kroppen.

Ansiktsfärgen gjorde Knutas förbryllad. Han kunde inte påminna sig att han hade sett något liknande tidigare. Huden var starkt ljusröd, närmast grisskär på sina ställen. Samma sak med det som syntes av händer och armar.

Kriminalteknikern lutade sig ännu närmare och började sniffa kring offrets ansikte. Försiktigt drog han isär de bleka läpparna, stack in ett finger mellan tandraderna och bände upp käken. Ryggade tillbaka med en grimas.

– Vad tar du dig till? frågade Knutas uppbragt.

Sohlman gav honom en menande blick.

– Lukta själv.

Knutas böjde sig fram. En frän odör slog emot honom.

– Vad är det som stinker?

– Bittermandel, mumlade Sohlman. Det betyder att han troligen har förgiftats med kaliumcyanid. Det brukar lukta starkt av bittermandel, dessutom tyder kroppsfärgen på det. Förr kallades det cyankalium. Kommer du ihåg den där gamla deckaren av Agatha Christie? *Cyankalium och cham-*

48

pagne. Det stämmer ju läskigt bra in här. Du var väl med på festen? Ni drack väl champagne, va?

Knutas förmådde inte svara. Han försökte dra sig till minnes när han senast hade sett Algård under gårdagskvällen.

– Hur länge har han varit död, tror du?

Sohlman lyfte försiktigt på en arm.

– Han har fullt utvecklad likstelhet och dessutom likfläckar, så vi snackar minst tolv timmar, kanske mer.

Knutas tittade på klockan. Kvart i fem. Han hade stött ihop med Algård på väg till toaletten. Det var efter desserten, precis innan dansen började. Vad kunde klockan ha varit då? Säkert åtminstone elva, halv tolv. Det var det sista han såg av honom. Men det hade varit så mycket folk och det blev ganska rörigt när alla bröt upp från sina platser vid borden och spridde ut sig lite varstans. Själv hade han dansat med Line nästan hela kvällen, bara gått ut och rökt vid några tillfällen. De hade stannat ända tills musiken tystnade klockan två. När de gick hade han inget minne av att ha sett Algård. Line hade varit djupt inbegripen i ett samtal med landshövdingen så de höll aldrig på att komma därifrån. De hade nog varit bland de sista som lämnade kongresshallen.

På golvet utanför hissen fanns blodfläckar och svaga släpmärken. Viktor Algård hade dessutom ett jack i pannan kring vilket blodet levrat sig.

– Och såret i pannan? undrade Knutas.

– Det vete fåglarna, mumlade Sohlman. Det är fullt med blodfläckar på golvet. Han reste sig och pekade. Och tydligen har gärningsmannen släpat in offret i hissen. Du ser märkena.

Knutas såg sig omkring. En glasdörr ledde ut till en stenlagd terrass med några bord vid en smal tvärgata och en mindre parkeringsplats. Åt andra hållet låg havet, kallbad-huset och hamnen.

En kvinna med hund gick förbi utanför och kikade nyfiket in genom de stora glaspartierna. Dessa förbannade fönster, tänkte Knutas. De är överallt. Gatan utanför behövde spärras av. Han ropade till kriminalinspektör Thomas Wittberg som visade sig i dörröppningen.

– Spärra av byggnaden, tvärgatan och närmaste området utanför! Vem som helst kan ju titta in. Det dröjer väl inte länge förrän vi har journalisterna drällande här! Kalla på förstärkning. Jag vill ha hit hundar.

– Visst. Du, städerskan som hittade honom är på väg här-ifrån. Vill du prata med henne innan hon sticker?

– Absolut.

Wittberg pekade mot den asiatiska kvinnan som satt i en soffa, lutad mot en polismans axel. Hon grät så att de tunna axlarna skakade. Knutas gick bort till henne och presente-rade sig.

Knutas kollega, som han glömt namnet på, reste sig och lämnade plats för honom i soffan. Kvinnan var i tjugofemårs-åldern och hade mörkt långt hår i en hästsvans. Först när han slog sig ner bredvid henne insåg han hur småväxt hon var.

– Vad heter du?

– Navarapat, men jag kallas för Ninni.

– Okej, Ninni. Kan du berätta vad som hände när du kom hit?

– Jag hade sällskap med min kollega Anja, de andra var redan här. Vi har våra omklädningsrum och material längst nere i källaren. Vi bytte om och skulle börja med entréplanet. Hon tog garderoben och det här området. Jag började på andra sidan. Den unga kvinnan sträckte ut sin tunna arm och pekade. Och när jag nådde fram dit upptäckte jag kroppen.

50

– Berätta exakt vad det var du såg, bad Knutas. Försök minnas allt. Varenda detalj är viktig.

– Jag kom med min vagn, förbi baren. Hon pekade igen. Och sen fick jag syn på honom där på golvet i hissen. Han låg på mage så jag kunde inte se hans ansikte.

– Vad gjorde du?

– Jag ropade på Anja och sen ringde vi polisen.

– Vad var klockan när ni kom hit?

– Vi börjar fyra och vi var nog här fem i.

– Och hur lång tid dröjde det innan ni hittade honom?

– Tio minuter, en kvart kanske.

– Ni hade sällskap, sa du, du och Anja, hur tog ni er till jobbet?

– Vi bor bägge två i Gråbo och cyklade hit.

Knutas nöjde sig för stunden. Han tackade och förvarnade henne om att hon skulle komma att kallas till ett ordentligt förhör på polisstationen senare på kvällen, både hon och Anja.

Johans mobiltelefon ringde just när han hade somnat i dubbelsängen med Emma på den ena armen och Elin på den andra. Emma hade blivit glatt överraskad när han kom hem så tidigt. Eftersom bägge var trötta efter gårdags- kvällens stora kalas och Elin slutkörd av sin hosta hamnade alla tre i sängen, fast klockan bara var två på eftermidda- gen. De hade gosat ihop sig med täcken och kuddar och han hade läst saga innan ögonlocken föll igen på både honom och Elin.

Det var Pia Lilja som ringde.

– Hej, sov du? Upp och hoppa – en man har hittats mördad i kongresshallen och det är inte vem som helst.

– När då? Nu?

Johans röst var grötig. Han harklade sig och makade un- dan Elin som sov djupt med öppen mun.

– Vad jag fattar så hittade de honom bara för en liten stund sen. Det är Viktor Algård, helt sjukt.

Pia lät andfådd, han hörde hur hon gick utomhus medan hon pratade.

– Jag är på väg till bilen nu. Vi träffas vid kongress-hallen.

– OK. Hur fick du veta det här? frågade han medan han stapplade upp ur sängen.

– Kroppen hittades av städarna, jag känner en av dem. Vi ses.

Hon knäppte av. Johan var inte förvånad. Pia hade ett kontaktnät över ön som inte var av denna världen. Född och uppvuxen på Gotland med sex syskon och släktingar utspridda i var och varannan socken förfogade hon över ett antal nyhetsambassadörer som informerade henne så fort det var något. Många gånger förvisso helt i onödan.

Han petade försiktigt på Emma.

Håret föll över hennes ansikte och hon sträckte behagfullt på de långa benen, vände sig om och drog täcket ännu tätare om sig. Han knuffade på henne, lite bryskare. Då reagerade hon, satte sig upp i sängen, gäspade stort och kisade yrvaket på honom.

– Vad är det?

– Viktor Algård har hittats mördad i kongresshallen. Jag måste sticka.

Han kysste henne på pannan och var ute ur rummet innan hon hann säga något mer.

En halvtimme senare parkerade han utanför kongresshallen. Några ordningspoliser höll på att sätta upp avspärrnings-band.

Han morsade på sina kolleger från lokalradion och tid-ningarna. Ryktet hade tydligen spritt sig. Pia var i full färd med kameran. Hon stod placerad vid en sidogata och filmade rätt in genom de stora fönstren innan hon blev bortmotad av en polisman.

– Kroppen är kvar. Fy fan vad läskigt. Det var blod på golvet. Förhoppningsvis fastnar nåt, men det blir nog mest ryggar, tyvärr.

– Kanske lika bra det, sa Johan torrt.

Pia Lilja var en hängiven fotograf, men hon saknade ibland känsla för vad som var etiskt försvarbart.

Minuterna tickade på och strax måste de skynda sig till TV-huset för att hinna redigera före sändningen. Redaktionschefen i Stockholm hade ringt och förvarnat om att även riksnyhetsprogrammen ville ha inslag om händelsen. Det gällde att snabba på. Ingen polis ville säga något och Knutas hade gjort sig oanträffbar.

Rätt som det var kom kommissarien ändå ut från byggnaden och ansattes omedelbart av frågor från den samlade reporterskaran. Han svarade kortfattat på några stycken innan han försvann in i en av polisbilarna.

De avslutade jobbet med att Johan gjorde en ståuppa framför kongresshallen där han redogjorde för den knapphändiga information de hade.

"Invigningen av den nya kongresshallen här i Visby blev en påkostad tillställning med över femhundra gäster. Men kalaset fick ett tragiskt slut. Strax efter klockan fyra i eftermiddags hittades en man död här inne. Han befann sig på festen och lämnade troligen aldrig byggnaden. Det var städpersonal som hittade kroppen, här alldeles bakom mig i en undanskymd personalhiss på kongresshallens bottenvåning. Den delen av lokalen användes inte under gårdagskvällen. Spår vid platsen tyder på att ett brott är begånget, bland annat finns blodspår på golvet. Polisen bekräftar också för Regionalnytt att man misstänker att mannen bragts om livet.

Kongresshallen och de omgivande gatorna har spärrats av och polisen ägnar sig nu i kväll bland annat åt dörrknackning och spårning med hundar. Hittills är ingen gripen för dådet och motivet är än så länge okänt."

Kvällen hade blivit sen när Knutas äntligen fick en stund för sig själv. Han hade ringt Line och berättat vad som hänt, att familjen fick äta middag utan honom och att han inte visste när han skulle komma hem.

Kroppen hade transporterats till bårhuset och skulle vidare dagen därpå till Stockholm och Rättsmedicinska avdelningen i Solna.

Knutas hade haft ett längre samtal med rättsläkaren. Hon berättade att det var mycket möjligt att dödsorsaken var cyanidförgiftning, men att det inte gick att fastställa förrän obduktionen var gjord. I bästa fall skulle den genomföras redan under tisdagen. Slaget i huvudet kunde hon inte säga så mycket om än så länge. Han kände rättsläkaren sedan gammalt. Hon var ytterst noggrann och sa aldrig för mycket innan hon var säker.

Knutas plockade fram sin krokiga gamla pipa ur översta skrivbordslådan. Spaningsledningen hade hållit ett första möte under kvällen för att organisera arbetet. Först gällde det att ringa in den närmaste kretsen kring Algård.

Knutas saknade Karin Jacobsson på mötet, hon var hans

56

ställföreträdare och bästa vän på jobbet. Hon var bortrest till Stockholm över helgen för att fira sin fyrtionde födelsedag. Han hade försökt ringa henne på morgonen för att gratulera och under kvällen för att informera om mordet. Hon hade inte svarat någon av gångerna, vilket oroade honom. Det var inte likt henne att stänga av telefonen.

Något hade hänt med Karin under det senaste halvåret, hon hade blivit om möjligt ännu mer tillknäppt och inbunden. Visserligen hade hon alltid varit förtegen om sitt privatliv, det hade han tvingats vänja sig vid. När det gällde arbetet däremot var hon alert, utåtriktad och framåt och hade alltid en massa att bidra med. Men på senaste tiden hade han märkt en avsevärd förändring. Allt oftare försjönk Karin i egna tankar och drömmerier på mötena och verkade ha svårt att koncentrera sig på arbetet. Det var som om det uppstått ett filter mellan dem. Något stod i vägen och han visste inte vad. Det var frustrerande eftersom hans behov av henne var lika stort som vanligt, om inte ännu större.

Han slog bort tankarna och återvände till mordet. Motivet, tänkte han. Vilket var motivet? Inget tydde på rånmord, Viktor Algård hade haft både plånboken och Rolexklockan kvar.

Hustrun Elisabeth Algård hade inte gått att förhöra. När polisen under kvällen åkt till familjens hem i Hamra för att lämna dödsbudet hade hon just drabbats av ett kraftigt migränanfall, vilket gjorde det omöjligt för henne att svara på frågor. Hon hade bett dem återkomma. Polisen bestämde sig för att avvakta med förhöret. De två barnen var vuxna och bodde på fastlandet. De hade underrättats och skulle flyga till Gotland dagen därpå.

Hade frun ett motiv att mörda sin man? Eller kunde mordet ha med den svåra ungdomsmisshandeln att göra, som hade skett utanför diskoteket Solo Club några veckor tidigare? Viktor Algård hade varit högaktuell, både hos polisen och i pressen sedan dess, eftersom det var han som ägde diskoteket. En sextonåring hade misshandlats så svårt att han hamnat i koma och transporterats med ambulanshelikopter till Stockholm. Fortfarande låg han medvetslös på neurokirurgens intensivvårdsavdelning på Karolinska sjukhuset.

Händelseförloppet hade visat sig vara nästan omöjligt att få grepp om. Vittnesuppgifterna var många och motstridiga, flertalet vittnen var mycket unga och dessutom berusade. Det var mörkt och svårt att urskilja vad som hände och vem som gjorde vad. Tre grabbar i tonåren satt häktade. Viktor Algård hamnade ordentligt i blåsväder efteråt. Hans ungdomsfester hade ifrågasatts av många ända sedan klubben öppnat ett år tidigare. Han utsattes för hård kritik för att det förekom spritförsäljning till minderåriga i samband med festerna, att fylla och slagsmål var vanliga. Kontrollen den aktuella kvällen ansågs ha varit för dålig, vakterna som bevakat entrén anklagades för att inte ha ingripit tillräckligt kraftfullt när bråket startade. Det visade sig dessutom senare att bägge saknade erforderlig utbildning. Den ene var en gammal kåkfarare och den andre medlem i en motorcykelklubb med tvivelaktigt rykte på ön. Flera demonstrationer hade hållits i protest mot det allt brutalare ungdomsvåldet och tidningarna hade varit fulla av upprörda insändare om politikernas valhänthet, föräldrarnas bristande ansvarskänsla och ungdomars ökande konsumtion av våld via Internet, dataspel och TV.

Att motivet till mordet på Viktor Algård låg där var ingen

osannolik tanke. Han hade skaffat sig många fiender på kuppen.

Knutas kunde inte låta bli att tända pipan. Han öppnade fönstret och tittade ut i mörkret. Det var inte han själv som ansvarade för fallet med ungdomsmisshandeln. Han hade lagt ut det på en annan handläggare. Orsaken var att han var personligt och känslomässigt inblandad. Han kände nämligen pojken som misshandlats mycket väl. Alexander Almlöv hade gått i samma klass som hans egen son Nils under många år och hans pappa hade tidigare varit en av Knutas bästa vänner. De båda familjerna hade umgåtts flitigt. Men några år tidigare hade vänskapen fått ett abrupt slut och Alexanders pappa hade avlidit.

Det hela var en mycket sorglig historia.

Fem timmar efter det att Knutas lämnat jobbet var han tillbaka igen. Ögonen sved av trötthet när han öppnade dörren till polishuset och morsade på vakthavande.

Han hann inte mer än in på rummet förrän det knackade på dörren. Karin stack in huvudet. Det spratt till i kroppen när han såg henne. Så fort hon inte var på jobbet saknade han henne. Det var nästan larvigt.

– Hej, vad sjutton är det som har hänt? Jag fick en smärre chock när vakthavande berättade. Viktor Algård av alla människor! Och ingen har sagt nåt!

Hon damp ner i besökssoffan på andra sidan skrivbordet och borrade sin ekorrblick i honom. Slängde det ena jeansklädda benet över det andra, rättade till den svarta tröjan som såg ut som något hans dotter Petra brukade ha på sig. Stilmässigt liknade hon mest en tonåring. Karin var tunn i kroppen för att vara polis och mätte bara etthundrafemtionio centimeter. Pojkflicka med mörkt kortklippt hår och mörka ögon som hon nästan aldrig målade, förutom lite mascara.

– Ingen har sagt nåt? upprepade Knutas torrt. Jag har försökt ringa dig en herrans massa gånger.

Hon slog ut med händerna.

– Min mobil laddade ur i går eftermiddag och jag, mitt klantarsel, hade glömt laddaren hemma. Å andra sidan var jag ledig. Sen var jag ute på stan och käkade middag på kvällen och tog nattbåten hem. Somnade som en liten gris i min hytt och vaknade upp när vi var framme. Jag har bara varit i lägenheten och vänt.

– Och inte lyssnat av telefonsvararen?

– Nej, hur skulle jag kunna veta att Viktor Algård skulle gå och mördas och på självaste invigningsfesten till råga på allt? Tack för blommorna förresten. De satt på dörren. Trevlig överraskning.

– Varsågod. Jag har som sagt försökt ringa dig.

– Berätta nu.

– Algård hittades död i en personalhiss en trappa ner från festvåningen. Den delen var avstängd under kvällen. Antagligen lämnade han aldrig byggnaden efter invigningen. Klockan fyra i går fann städarna kroppen. Troligen har han dött av cyanidförgiftning.

– Cyanid, sa Karin och höjde på ögonbrynen. Det låter rätt otroligt. Är ni säkra?

– Säkra kan vi inte vara förrän obduktionen är gjord, men allt tyder på det. Hudfärgen var alldeles knallrosa och så formligen stank han av bittermandel.

– Bittermandel?

– Ja, tydligen luktar cyanid likadant.

– Jag har hört att bittermandel ska vara giftigt om man äter för många, typ femtio stycken. Om nån nu skulle få för sig att göra nåt så idiotiskt. Men vem i hela världen använder det nuförtiden?

– Det används väl som ingrediens i ostkaka, mandelkubb och sånt?

61

– Värst vad du kan. Hon log snett. Du brukar väl inte baka?

– Glöm inte mitt ursprung.

Knutas föräldrar drev ett bageri på sin gård i Kappelshamn på norra Gotland. Även om de mest ägnade sig åt tunnbröd så var Knutas uppvuxen med bakverk av alla de slag.

– Men nu var det ju inte bittermandel han dog av utan cyanid.

– Finns det nåt som tyder på att mordet har med bråket kring hans disko att göra – och det senaste misshandelsfallet?

– Inte än så länge. Men det är självklart en intressant hypotes.

– Är Alexanders tillstånd oförändrat?

Knutas nickade dystert.

– Kände du Algård?

– Kände och kände. Vi växlade alltid några ord när vi sågs. Jag har gått på en del fester som han har anordnat genom åren. Det var en trevlig prick, glad och lättsam och social, såklart. Det måste man väl vara i hans jobb.

– Var han gift?

– Ja, fast vi har inte kunnat prata med frun än.

– Barn?

– Två stycken, vuxna. De bor båda på fastlandet men kommer hit under dan.

– Och gästerna?

– Alla ska kallas in till förhör. Det blir ett digert arbete, de var inte mindre än femhundratjugotre stycken.

– Herregud.

– Vi måste få hjälp av Rikskrim. Jag pratade med dem i går kväll. Kihlgård är tydligen sjukskriven, visste du det?

Karins ansikte mörknade.

– Va? Nej, ingen aning.

Martin Kihlgård var den som de hade bäst kontakt med på rikskriminalen. Han brukade alltid komma när de behövde hjälp därifrån. Han älskade Gotland och var mycket populär bland kollegerna i Visby. Karin och han stod varandra särskilt nära. Ibland blev deras ömsesidiga förtjusning så påfallande att Knutas blev irriterad. Skamset insåg han motvilligt att det helt egoistiskt berodde på att han ville ha Karin för sig själv. Ett tag hade han nästan trott att det var på väg att bli något romantiskt mellan de där två, men så plötsligt hade Kihlgård på ett vanligt morgonmöte berättat att han hade pojkvän.

Nu läste han oro i hennes ansikte och försökte släta över vad han just sagt.

– Det är nog inget farligt. Han kanske bara är hemma i influensa.

De avbröts av att Thomas Wittberg stack in huvudet.

– Tjena, jag fick precis höra nåt intressant.

Han avbröt sig tvärt och drog på mun när han upptäckte Karin nersjunken i soffan.

– Grattis förresten. Eller ska man verkligen gratulera till kärringskapet? Du verkar redan tröttare.

Karin blängde på honom och gjorde en grimas. Thomas pikade henne alltid för att hon var tio år äldre än han.

– Kom till saken, sa Knutas otåligt. Om fem minuter har vi möte.

– Viktor Algård låg i skilsmässa. De lämnade in ansökan till tingsrätten för en vecka sen.

Ända sedan i går kväll har jag förberett mig. Det började redan klockan åtta när Rapport var slut. Jag ser nyheterna varje kväll, fast jag inte bryr mig ett vitten om vad som händer i världen, det enda jag har kvar som ger mig en sorts verklighetsförankring. Annars är mitt liv en pseudotillvaro. Dagarna avlöser varandra i en jämn ström, alla ser ungefär likadana ut. Sitter här i mitt självvalda fängelse, den längsta promenaden blir från köket till badrummet.

En enda människa träffar jag, i dag är det dags igen. Det betyder att jag måste ta mig ut. Vilket kräver förberedelse.

I går kväll rotade jag fram kläder som är anständigt hela och rena. Sådant tänker jag inte på när jag är ensam. Jag lägger fram dem på en stol: kalsonger, strumpor, skjorta, jeans. Jag ställer tre väckarklockor med en kvarts mellanrum långt innan jag går och lägger mig för att vara säker på att jag ska vakna. Eftersom jag somnar med hjälp av sömtabletter sover jag hårt och länge.

En klocka placerar jag på nattduksbordet, en i fönsternischen så att jag tvingas resa mig, och den som låter värst i köket för att jag inte ska frestas att återvända till sängen och dra täcket över huvudet.

Och alla tre ställs i god tid för att jag ska hinna vakna. Utföra de obligatoriska morgonbestyr som krävs för vanliga människor som gör vanliga saker. Som att gå ut.

Denna morgon har jag duschat och tvättat håret, en bedrift med tanke på mitt tillstånd. En enorm kraftansträngning krävs för att jag ska få av mig den sömnvarma pyjamasen och ställa mig i duschen. Lika plågsamt varje gång. Ja, jag sover i pyjamas precis som när jag var liten. Den är mitt skyddande hölje. Mot ångest, onda andar och vilken ondskefull, illasinnad varelse som helst som kan tänkas ta sig in i mitt sovrum. Ibland ligger jag där i mörkret och inbillar mig att någon befinner sig i lägenheten. Det finns en massa skrymslen, klädkammare och garderober att gömma sig i. Jag är inhyst i den enda bebodda lägenheten i hela fastigheten. Resten är kontor. Nej, nu blev det fel. Ytterligare en bostadslägenhet ligger på samma våningsplan. Men den tillhör en familj som bor utomlands, någonstans i Saudiarabien, tror jag. När de kommer tillbaka vet jag inte.

Därför är huset tyst på natten. Mycket tyst. Utanför dess väggar är det en annan sak. Där pågår stadslivet.

Jag har druckit kaffe och tvingat i mig två limpsmörgåsar med ost. Energi krävs för att jag ska klara promenaden jag har framför mig. Jag läser alltid när jag äter. Just nu är det "Röda rummet" av August Strindberg. Den läste jag högt under en kort period för pappa när han ville vila på lördagseftermiddagarna. Jag minns att jag började blöda näsblod en gång. Det blev en röd fläck i boken. Spåren syns än i dag.

När jag för några dagar sedan plockade fram den sedan länge nerpackade boken föll ett fotografi ur som legat bortglömt mellan sidorna. Det var en bild på pappa, tagen i båten på landet. Han är klädd i shorts och ljusblå skjorta och ler underfundigt mot kameran. Rynkar på näsan mot solen som han brukade göra. Jag har nog aldrig sett en bild på pappa där han är riktigt glad. Han kunde göra miner och småle, men han skrattade aldrig när någon tog kort på honom. Mamma och pappa skildes när jag var fem år och efter det träffades de sällan. Dagen innan jag skulle fylla tretton år omkom han i en bilolycka. Minnena av honom är få och fragmentariska men bilder ploppar upp på näthinnan då och då. Pappas mörka nacke i bilen när han körde, hur han trampade gasen i botten i den där backen med ett gupp på landet så att vi alla tre barn skrek av förtjusning i baksätet. Hans oefterhärmliga sätt att tugga småfralla så att det såg så himmelskt gott ut, hur han drog in luft i näsan, hans torra händer och hur han kastade huvudet bakåt när han skrattade. Hans mage var rund och man kunde ana hålet där naveln satt under tröjan. Pappa doftade gott av rakvatten, flaskan med Paco Rabanne stod på hans hylla i badrumsskåpet.

Jag minns under en Norrlandssemester hur vi lekte i vattnet i en djup och svart sjö i skogen. Pappa stojade med oss och jagade oss i vattnet. Jag skrattade så jag kiknade när jag blev fasttagen och hamnade i hans stora, blöta famn.

Pappa jobbade på fastlandet och kom bara hem på helgerna. Jag minns hur mamma städade och trallade innan han skulle komma. Dukade fint med tända ljus, tog fram vin och lagade biff med pommes frites och bearnaisesås. När han äntligen dök upp på fredagskvällen stod vi barn och tindrade i hallen som om det var kungen som kom på besök.

Någon förklaring till skilsmässan fick jag aldrig. Bara att något hade hänt som mamma inte kunde förlåta. Det var hon som ville skiljas. Ändå var hon otröstlig efteråt och alla i bekantskapskretsen var fullt sysselsatta med att ta hand om henne. Stackars människa som blev ensam med tre små barn. Och så ung. Utan vare sig pengar på banken eller utbildning.

Dagar av gråt blev till veckor, månader och år. Ingen hade tid med min och mina syskons saknad. Vi hamnade i skuggan. Och så skulle det förbli.

Egentligen har jag varit i skuggan ända sedan jag föddes. Som någon som egentligen inte har rätt att leva. Jag undrar varför jag blev född.

Mamma ville aldrig ha mig, det har hon själv berättat.

Hon har alltid sagt att hon tycker att det är ett mirakel att jag kunde vara så glad som barn eftersom hon var så förtvivlad under graviditeten. Först blev hon alldeles ifrån sig när hon fick veta att hon var gravid, sedan grät hon varje dag medan jag växte i hennes mage. Det syntes knappt på henne att hon var med barn förrän alldeles i slutet. Så starkt ville hon förneka mig.

Jag var kanske fjorton år när jag fick höra historien första gången. Hon berättade den som om det vore en lustig anekdot. Jag minns inte att jag reagerade på något särskilt sätt, blev varken arg eller ledsen. Jag gjorde väl som vanligt, antar jag. Accepterade. Tog emot kränkningen med hull och hår. Ungefär som att jag förlikade mig med allt hon sa till mig, hur nedsättande det än var. Jag kan höra hennes röst eka i huvudet.

Och tänk dig, att fast jag var så ledsen för att jag skulle få dig så var du ändå jätteglad när du kom ut! Alldeles från första början!

Jaså, mamma. Minsann. Och varför talar du om för mig att jag var oönskad? Jag har ingen jävla aning.

Nu har jag klätt på mig. Jag ska gå ut genom dörren, ta hissen ner och beblanda mig med människorna på gatan. Andas in. Djupt.

L ine ringde när Knutas var på väg genom korridoren till spaningsledningens morgonmöte. Han hade lämnat huset så tidigt att hon inte hunnit vakna. Knutas danska hustru var på väg till jobbet som barnmorska på Visby lasarett. Hon hade börjat promenera varje morgon före frukost i ännu ett av sina otaliga försök att gå ner i vikt. Knutas upplevde inte hustruns rondör som något problem, men hon gjorde ständiga försök att bli av med sina extrakilon. Nu skulle hon pröva GI- metoden som alla andra. Följden blev att när hon stod för matlagningen bestod måltiderna av kött, fisk och sallader. Potatis, pasta och ris var utbytt mot linser och bönor, något som varken han eller barnen jublade över. Deras protester hade lett till att hon åtminstone kokade fullkornspasta.

– God morgon, flämtade hon andfått. Hur har du det?

– Jo tack, det är fullt upp. Vi har möte här strax.

– Jag måste ringa för Nils mår så dåligt.

Knutas stannade upp.

– Vad är det med honom?

– I morse var det nästan omöjligt att väcka honom och han

sa att han knappt hade sovit, att han hade så ont i magen.

– På vilket sätt har han ont?

– Det värker, säger han, men han kräks inte och har ingen feber. Jag lät honom stanna hemma från skolan i alla fall.

– Det gjorde du rätt i. Jag lär ha fullt upp här i dag, men jag kanske kan åka förbi en sväng.

Line var mer fastlåst än han på jobbet eftersom hon arbetade enligt en vaktlista.

– Det vore dejligt. Jag vet att du är upptagen, vi hörs sen då.

– Jag ringer till Nils.

– Nej inte nu, han somnade om.

– Okej. Puss.

– Puss.

Oron slog till direkt. Nils hade inte varit sig själv på sistone och kanske berodde det inte enbart på puberteten.

Med sonens ansikte på näthinnan klev han in i spaningsledningens konferensrum för dagens första möte.

Åklagare Birger Smittenberg var redan på plats, intensivt bläddrande i morgontidningen. Han kastade en blick på Knutas och hälsade förstrött. Wittberg och Karin satt med huvudena tätt ihop och samtalade lågmält. Presstalesmannen Lars Norrby saknades i gruppen. Han hade tagit ledigt i två månader för att segla i Västindien med sina barn. Under tiden fick Knutas ta hand om pressen själv, vilket han i och för sig inte hade något emot. Det blev lugnast så. Han och Norrby var inte alltid överens om vilken information som skulle gå ut.

Knutas hade just slagit sig ner på sin vanliga plats vid bordets kortsida när Sohlman dök upp. Kriminalteknikern var askgrå i ansiktet och såg ut att inte ha sovit på hela natten. Han sjönk ner på en stol bredvid Karin som klappade honom lätt på axeln. Sohlman sträckte sig efter kaffetermosen på bordet.

– God morgon, hälsade Knutas. Ni vet alla vad som har hänt. Viktor Algård hittades död i går eftermiddag inne i kongresshallen. Enligt rättsläkarens preliminära bedömning så har han dött av cyanidförgiftning. Men han hade också ett sår i huvudet, det fanns blodfläckar både på ett ståbord vid baren och på golvet nedanför. Släpmärken på golvet visar att gärningsmannen har dragit in kroppen i hissen, för att gömma den gissningsvis. Hur skadan i huvudet har uppkommit vet vi inte än. Kroppen förs med eftermiddagsbåten till Stockholm och Rättsmedicinska i Solna. Förhoppningsvis sker obduktionen redan i morgon. Sohlman, kan du dra det vi vet om skadorna och mordplatsen?

Knutas nickade åt kollegan som reste sig och ställde sig vid filmduken längst fram.

– Först ska vi ta en titt på offret. Vissa omständigheter gör fallet särskilt intressant. Ni ser att huden är klart ljusröd, den har fullt utvecklade likfläckar som är ljust röda eller rosa. Det tyder på cyanidförgiftning eftersom cyaniden gör att andningsvägarna täpps till och syret inte kommer ut i blodet. Dessutom luktade han starkt av bittermandel, typiskt vid cyanidförgiftning.

– Jag vet ingenting om cyanid, sa Karin. Men det måste vara extremt ovanligt som metod för att mörda nån. Det har jag bara hört talas om i gamla deckare.

– Ja, jag har aldrig varit med om ett mordfall med cyanid, höll Sohlman med. Däremot ett par fall av självmord faktiskt. Det är oerhört giftigt. Det här rör sig antagligen om kaliumcyanid, alltså cyanid i kristallform som är lättlösligt i vatten.

– Varför tror du det?

70

– Därför att det är enklast att hantera och bära med sig. Det förvaras i små glasampuller och så tömmer man bara innehållet i ett glas med vatten, läsk eller vad som helst.

– Och hur är det med alkohol? undrade Karin.

– Det löses inte upp i alkohol, men gärningsmannen kan ha blandat cyaniden med vatten först, innan han hällde det i en drink. Om det nu är så det gick till när Algård fick i sig giftet. Det vet vi ju inte, men det är knappast nåt man dricker frivilligt. Gärningsmannen är antagligen inte helt obekant med cyanid. Det är långt ifrån riskfritt att hantera, bland annat är det livsfarligt att andas in. Vätecyanid var ju den gas som tyskarna använde i koncentrationslägren under andra världskriget för att mörda judar. Det slår som sagt ut andningssystemet på några minuter.

– Hur då? frågade Knutas intresserat.

– Cyaniden blockerar andningsvägarna blixtsnabbt, cellerna kvävs kan man säga, och man får svårt att andas nästan omedelbart efter att man har intagit giftet. Orsaken till att det inte är helt ovanligt som självmordsmetod är antagligen att det är ett stensäkert sätt att dö på. Får du i dig cyanid i tillräckligt stor mängd så dör du utan tvekan. Och så går det fort, alltifrån en halv minut till några minuter, beroende på mängden. Den gamle nazisten Hermann Göring tog livet av sig med hjälp av en cyanidkapsel när han dömdes till döden för folkmord i Nürnbergrättegången.

– Hur svårt är det att få tag på?

Sohlman ryckte på axlarna.

– Nuförtiden kan man väl köpa det mesta på nätet. Eller tillverka själv om man är kemiskt intresserad. Det kanske används inom industrin, vad vet jag?

– Det där får vi ta reda på, sa Knutas. Tar du tag i den biten, Thomas?

– Visst. Samtidigt undrar man ju vad det är för en typ av människa som använder gift för att mörda. Det tyder på en viss beräkning, och vem är kapabel att hantera ett så farligt gift?

– En sak som utmärker en giftmördare är frånvaron av fysisk kontakt mellan gärningsman och offer, inflikade Sohlman. En giftmördare ser till att offret får giftet i sig, men tar inte i det utan ger sig oftast av från platsen så fort som möjligt. På så sätt lämnar han heller inga spår. Inga fingeravtryck eller hårstrån, inga hudavlagringar, inget blod. Den här gärningsmannen har i och för sig släpat in den döde i hissen, men han såg sig väl tvungen att gömma kroppen. En annan aspekt är den psykologiska. Giftmord innebär ofta en mycket plågsam död, även om det går fort, vilket i sin tur tyder på att det är personligt, alltså att offer och förövare känner varandra, att de har nån form av relation.

– Om vi antar att nån hällde cyanid i Viktor Algårds drink, borde han inte ha känt direkt på lukten att det var nåt konstigt i glaset i så fall? frågade Karin. Om det nu luktar så starkt av bittermandel?

– Tja, sa Sohlman dröjande och gned sig om hakan. Det beror på. Jag har hört att varannan människa inte har förmågan att känna lukten av bittermandel. Algård kanske tillhör dem. Eller så gick det så fort att han kände lukten för sent. Han kan även ha blivit tvingad. Det låg en omkullvält stol på brottsplatsen. Dessutom var han som sagt skadad i huvudet.

Tystnaden lade sig en stund. Som om alla försökte föreställa sig vad som hade hänt där i rummet under festnatten. Knutas bröt tystnaden.

– Vi lämnar de spekulationerna så länge och koncentrerar oss på vad vi vet om Viktor Algård. Själv kände jag honom inte mer än att jag har träffat honom några gånger i samband med olika bjudningar som han har arrangerat. Nån annan?

Samtliga runt bordet skakade på huvudet.

– Okej. Knutas tittade ner i sina papper. Viktor Algård var femtiotre år, född och uppvuxen i Hamra. Gift, två vuxna barn som bor på fastlandet, en son på tjugoåtta och en dotter på tjugosex. Han arbetade som festarrangör sen många år tillbaka och det har väl gått bra, vad jag vet. Problemen för honom började när han köpte en lokal i hamnen och byggde om till ungdomsdiskotek. Ni vet alla vad som har hänt sen dess. Det har varit bråk kring den där klubben sen allra första början och nu har vi till råga på allt fallet med den grova misshandeln.

Knutas reste sig, tog en röd tuschpenna och skrev på whiteboarden längst fram i rummet.

Misshandeln.

– Dådet utanför hans krog är ett viktigt uppslag och det ska vi naturligtvis ta tag i. Men vi måste hålla ett öppet sinne och tänka brett. Enligt flera vittnen låg Viktor Algård i skilsmässa från sin fru. Han skrev ordet *Skilsmässa* på boarden. Wittberg?

– Paret Algård lämnade in en ansökan om skilsmässa till tingsrätten för en vecka sen. De har varit gifta i över trettio år. Vi har bara börjat med förhören och vi har dessvärre inte kunnat höra nån av de närmaste ännu. Frun, Elisabeth Algård, träffar vi senare i dag. Barnen kommer att höras bägge två, nån gång under dan, hoppas jag. De enda vi har hunnit prata med hittills är anställda i hans företag, som jobbar med PR och att arrangera fester. Viktor Algård hade två anställda och byrån heter "Go Gotland". Kontoret ligger på Hästgatan och de har hand om stora kunder, bland annat Wisby Strand, Kneippbyn och kommunen. Jag har snackat med de

73

två anställda, en kille som heter Max och en tjej som heter Isabella. De har bara goda saker att säga om Viktor Algård som chef. Båda är dessutom ganska säkra på att han hade en kärleksaffär. De hade visserligen inte sett honom med en ny kvinna, men han har visat tydliga tecken på att vara förälskad. De berättade om hur han börjat äta lunch med nån som han vägrade säga vem det var, han försvann långa stunder från kontoret och kom tillbaka rödrosig med glans i blicken. Han hade återupptagit sin avsomnade träning på ett gym i stan och dessutom anlitat en personlig tränare för bara några veckor sen. Han berättade för sina medarbetare om en resa till Paris han skulle göra i maj och han hade kontaktat en mäklare som skulle hjälpa honom att hitta en större våning i Visby innerstad eftersom han planerade att sälja sin övernattningslägenhet.

– Ja, där har vi ännu ett möjligt motiv, sa Smittenberg och tvinnade på den nya mustasch han lagt sig till med. Den okända älskarinnan.

Knutas skrev *Älskarinna* på tavlan och vände sig återigen mot Thomas Wittberg.

– Skriv dit *Hustru* när du ändå är igång, föreslog Smittenberg. Elisabeth Algård har väl inget alibi såvitt jag vet?

Knutas gjorde som han sa.

– En teori som i och för sig kan verka jäkligt långsökt, men som vi ändå inte kan utesluta, är det faktum att kongresshallen är ett väldigt omstritt byggprojekt, inflikade Wittberg. Det kan ha varit nån som mördade honom som en protest mot invigningen.

– Ett statement från rabiata miljöaktivister kanske. Mycket troligt, retades Karin.

– Vi måste hålla alla vägar öppna, kontrade Knutas med skärpa i rösten.

Han lade till ordet *Kongresshallen* på tavlan och vände sig sedan återigen mot Wittberg.

– Vad har förhören med serveringspersonalen gett än så länge?

– Enligt en bartender sa Algård till honom att han skulle ta en paus, nån gång strax efter tolv. Det var första gången under kvällen som han försvann. Efter det har ingen sett honom.

– Var det ingen som saknade honom? undrade Karin förvånat.

– Middagen var avklarad när han tog rast och sen satte dansen igång och det blev ganska rörigt. Det var ju över femhundra personer. De som har förhörts hittills verkar ha tagit för givet att Algård fanns nånstans i närheten, men ingen kan säga säkert när de såg honom sista gången.

– Gick han iväg ensam?

– Ja, han försvann en trappa ner där det var avstängt.

– Gärningsmannen kan ha varit nån han jobbade med, insköt Karin. Vad vet vi om tidigare konflikter i arbetet? Det borde vi lägga till.

Knutas skrev *Arbetskamrat* på tavlan.

– Än så länge har vi inte hittat nåt av betydelse förutom rabaldret kring hans restaurang, sa Wittberg. Vi jobbar på.

Gruppen från Rikskriminalen i Stockholm anlände under förmiddagen. Det var inte alls med samma buller och bång som när Martin Kihlgård var med och Knutas erkände motvilligt för sig själv att han saknade sin karismatiske kollega. Även om Kihlgård titt som tätt retade gallfeber på honom så var han åtminstone underhållande. Karin hälsade avmätt på de nykomna kollegerna och visade ett närmast demonstrativt ointresse. Det irriterade Knutas. Det var knappast deras fel att Kihlgård var sjuk.

I spetsen för gruppen fanns en intetsägande typ som hette Rylander och under hans ledning satte de omedelbart igång med det mest akuta – att registrera och strukturera upp det stora antalet förhör, både de som redan hållits och de hundratals som väntade.

Viktor Algårds båda barn skulle förhöras på polisstationen, men hustrun orkade inte ta sig dit. De fick åka till henne. Något som i och för sig bara var bra, tyckte Knutas. Han ville se Algårds hem för att skaffa sig en bättre bild av honom som person. Polisen hade redan sökt igenom huset utan att hitta något av intresse. Det gjorde man däremot i övernattningslyan på Hästgatan. I badrummet fanns parfym, en fön och andra feminina toalettartiklar och i sovrummet låg skor och kläder som tillhörde en kvinna, men det kunde förstås vara hustruns. Knutas hade bestämt sig för att vänta till förhöret med att fråga om saken.

Karin och Knutas gav sig av direkt efter morgonmötet ner mot Hamra och förhöret med den nyblivna änkan.

Först svängde de in på Bokströmsgatan och stannade till vid Knutas villa.

– Jag måste titta till Nils en snabbis, förklarade han. Han hade ont i magen i morse.

– Men han är väl sexton?

– Barnen behöver en jämt. Tro inget annat. De blir aldrig för gamla för sina föräldrars omsorger.

Knutas gav henne ett snett leende när han öppnade bildörren. Karin drog häftigt in andan som om hon hade satt något i halsen. Sedan fick hon en hostattack.

– Håller du också på att bli sjuk?

Han dunkade henne i ryggen. Tårarna rann nerför kollegans kinder. Knutas såg förvånat på henne.

– Men hur är det?

– Det är ingenting, kved Karin. Jag fick nog in nåt i fel strupe, bara. Du, jag väntar i bilen.

– Okej.

Huset var nedsläckt och tyst. Han smög uppför trappan för att inte väcka Nils ifall han sov. Öppnade hans dörr försiktigt. Nils satt vid sitt skrivbord vid fönstret med ryggen emot honom. Datorn var påslagen. Knutas såg genast bilden på Alexander Almlöv som hade publicerats i tidningarna.

– Hej, hur mår du?

77

Sonen vände sig om med ett ryck. Han var blank i ögonen.

– Vad gör du hemma?

Knutas gick fram till honom, lade handen på hans tunna tonårsaxel. Nils var på tok för smal, det hade han tyckt länge.

– Jag ville bara titta till dig, gubben. Mamma sa att du hade ont i magen.

Knutas betraktade dystert bilden. Den var tagen vid Tofta strand på sommaren. Alexander, brunbränd och blöt i håret, log mot kameran. Nu låg han i koma.

– Vad gör du? frågade han mjukt.

– Ingenting. Nils stängde av datorn och lade sig i sängen. Lämna mig i fred.

– Men hur mår du?

– Det är bättre. Ingen fara.

Han vände sig mot väggen. Knutas satte sig ytterst på sängkanten.

– Tänker du på Alexander?

– Äh. Vad gör du här, du har väl massor att göra med mordet och allt?

– Ja, suckade Knutas. Vi är på väg ner till Sudret, jag och Karin. Hon väntar i bilen.

– Men gå då, jag klarar mig.

– Ska jag hämta nåt åt dig? Är du törstig?

– Nej.

– Säkert?

– Ja, har jag sagt.

Knutas lomade tillbaka till bilen, fylld av ängslan. Han måste hitta på ett sätt att återknyta kontakten med Nils.

De tog kustvägen söderut. Vädret var vackert, vårsolen

glödde över åkrar och ängar. Kornas skinn skimrade där de betade i hagarna och strimman av hav som då och då dök upp på deras högra sida glimmade löftesrikt. Efter den långa, tröstlösa vintern var det som om någon dragit upp en dimgrå gardin som legat över ön i månader och väckt naturen till liv igen. Enstaka rödbrinnande vallmor syntes här och där längs vägen och sommaren kändes plötsligt inte alls långt borta. Det hade blivit varmare i luften. Knutas vevade ner rutan.

– Vacker dag, sa han och betraktade forskande Karin.

– Verkligen.

– Hur mår du egentligen?

– Jo, tack.

Hon kastade en blick på honom och log. Hon hade en förhållandevis bred mun i det lilla ansiktet med en rejäl glugg mellan framtänderna. Det gav henne ett festligt utseende.

– Vi har ju inte hunnit prata med varann på sistone.

– Nej.

– Du har verkat lite nere.

– Tycker du?

Karins ansiktsuttryck mulnade. Det var uppenbart att hon inte ville diskutera saken. De fortsatte färden söderut under tystnad.

Knutas tittade ut genom fönstret igen, undrade vad det var som tyngde henne. Han hade jobbat tillsammans med Karin i över femton år och hon var hans mest förtrogna. Åtminstone från hans sida sett. Han berättade allt för henne, både om familjeproblem och annat. Hon var en god lyssnare, stöttade honom och kom med råd. Men när det gällde Karins eget privatliv var det en annan historia. Så fort saker och ting började handla om henne blev hon tillknäppt och tyst.

Något år tidigare hade han utnämnt henne till biträdande

kriminalkommissarie och sin ställföreträdare, vilket hade väckt en del ont blod på stationen, även om de flesta var positiva. Elaka röster hördes från ett fåtal manliga, äldre poliser som inte tålde att bli förbisprungna av en bra mycket yngre, dessutom kvinnlig kollega. Karins litenhet gjorde det inte lättare för henne att vinna respekt. Att hon dessutom inte levde enligt normen gav upphov till spekulationer. Trots att hon fyllt fyrtio bodde hon fortfarande ensam tillsammans med sin kakadua Vincent. Fritiden ägnade hon mest åt fotboll, hon var både tränare och spelade själv i damlaget.

– Har du hört nåt om Kihlgård? frågade han, mest för att ha något att säga.

– Ja, han har legat inne på Karolinska en vecka och det har tagits en massa prover, men han är hemma nu. De vet inte vad det är för fel.

– Jag visste inte ens att han var inlagd – vad har han för symptom?

– Allmänt svag, illamående, yr i huvudet.

– Hur lång tid tar det innan de får svar på proverna?

– Nån vecka eller två.

– Vi borde skicka blommor.

– Det tycker jag.

Han kastade en blick på Karin. Hon såg tröttare ut än hon brukade.

– Du vet att du kan prata med mig om det är nåt som bekymrar dig, sa han. Jag finns alltid här.

– Ja då, Anders. Jag vet. Vi kan prata vid ett bättre tillfälle, inte nu.

– Säkert?

– Säkert.

Knutas bytte ämne för att bryta den tryckta stämning som uppkommit.

80

– Vad tror du om mordet? Motiv?

– Omöjligt att säga. Det finns ju flera tänkbara men jag tror inte att det är en tillfällighet att Viktor Algård mördades bara ett par veckor efter misshandeln av Alexander Almlöv, med tanke på allt bråk som har varit kring honom på sistone.

– Vem skulle ha mördat honom, menar du?

– Antingen en person som står Alexander nära, eller nån kring dörrvakterna som båda faktiskt rör sig i kriminella kretsar, eller en galen rättshaverist som är trött på ungdomsvåldet och vill ta saken i egna händer. Det finns alla möjliga varianter att bolla med. I nio fall av tio hittar man i och för sig gärningsmannen inom den närmaste familjen. Det kan förstås vara nån där.

– Det kanske inte är en tillfällighet att Algård stod i begrepp att skiljas.

– Visst, och det här med älskarinnan är ju konstigt, sa Karin eftertänksamt. Vi måste ta reda på vem hon är. Är frun medveten om att hennes man vänsterprasslade? Kanske inte om förhållandet är nytt, men nån i bekantskapskretsen borde väl ändå veta nåt. Var hon med på festen, tro?

– Kanske. Vi får se vad förhören ger. Hon kan vara bortrest. Kanske känner hon inte ens till mordet.

När Karin och Knutas var framme vid Hamra krog stannade de till på den ödsliga parkeringsplatsen. Krogen var omåttligt populär sommartid, nu låg den övergiven. Några skyltar berättade att Coconut Bar låg till vänster och Pepes Texmex till höger. De rustika träborden stod uppfällda mot en vägg, restaurangen var ekande tom. På en skamfilad anslagstavla vid parkeringen fanns några meddelanden uppsatta: "Loppmarknad i Burgsvik", "Vävkurs i Havdhem", "Anonyma alkoholister träffas varje tisdag i Hablingbo församlingshem", "Fårklippning billigt" och "Bortsprungen katt".

– Vi ska till vänster här, ner mot havet, sa Karin och svängde in på en grusväg. Landskapet var platt och utgjordes mest av åkermark. Detta var jordbrukarnas land och bondgårdarna avlöste varandra. Välmående kor betade av gräset och flockar av får glodde på dem när de körde förbi. Havet glittrade i fonden. De befann sig nästan allra längst söderut på Gotland, långt ifrån sina egna hemtrakter.

De följde en mindre väg som löpte längs med havet. Gården som låg i slutet av vägen tillhörde familjen Algård. När de körde in på grusplanen framför huset kom två vinthundar skällande. Knutas, som var hundrädd, klev tveksamt ur bilen och släppte inte de två byrackorna med blicken. Karin gav till ett lockrop och strax hade hon dem glatt skällande omkring sig i stället. Entrédörren öppnades och en kort vissling ekade över gården. Hundarna avbröt tvärt leken och skyndade till matte.

Elisabeth Algård visade dem in i huset. De satte sig i det stora bondköket med all tänkbar lantlig charm: blåvitrutiga bomullsgardiner, synliga takbjälkar, stor murad öppen spis, vitsåpat trägolv och ett slagbord som var det största och mest rustika Knutas sett. De höga fönstren bjöd på fri utsikt över åkrar och havet längre bort. Änkan serverade kaffe och bullar utan att fråga om de ville ha. Hon sjasade ut hundarna ur köket, stängde dörren och satte sig med en besvärad suck på en stol mitt emot de båda poliserna. Hon var magerlagd och senig, klädd i jeans och en kortärmad bomullsblus. Håret var tunt, cendréfärgat och uppsatt med ett spänne i nacken. Ansiktet saknade helt makeup, läpparna var tunna, munnen som ett smalt streck. Hon var ingen skönhet, men hade vackra, rena drag. När hon serverat kaffet såg hon Knutas rakt i ögonen.

– Vad vill ni veta?

– Först och främst vill vi naturligtvis beklaga sorgen. Sen måste vi tyvärr ställa en del frågor. När träffade du Viktor sista gången?

– I lördags eftermiddag, innan han gav sig iväg till festen.

– Hur verkade han?

– Han var på ett strålande humör, även om han försökte dölja det.

Knutas såg frågande på henne.

– Viktor ville skiljas, sa hon tonlöst.

– Vi känner till det, kan du berätta varför? frågade Karin och bet i en bulle.

– Det kom som en blixt från klar himmel, jag fattar ingenting. Herregud, vi har varit gifta i trettiotvå år. Vi har två vuxna barn, gården här med djur och min ateljé. Viktor hade sitt företag, vi levde ett bra liv. Det var lugnt och skönt och vardagen rullade på. Så ville han förstöra alltsammans, det som vi byggt upp.

– När berättade han att han ville skiljas?

– För ett par veckor sen. Precis efter den där misshandeln. Först trodde jag att det berodde på den, att uppståndelsen och all kritik han fick påverkade honom. Men han sa att det inte hade nåt med saken att göra.

– Vad angav han för orsak?

– Orsak? Han hade ingen orsak. Han sa bara att han ville ta tag i sitt eget liv. Har man hört på maken! Han längtade efter att satsa på sig själv, på sin egen lycka. Man lever bara en gång, sa han, och jag vill inte bli bitter.

Änkan skakade på huvudet.

– Bitter! Hur kan man över huvud taget ta det ordet i sin mun när man ser på allt som vi har åstadkommit under alla år ihop? Två välartade barn som vuxit upp till egna individer med en stabil tillvaro, en hel gård som vi renoverat från grunden och som anses som en av de vackraste på Gotland. Vi bor i en underbar natur med havet vi båda älskar alldeles nära. Vi har hundar och egna höns som ger oss de godaste frukostägg varje dag. Jag har min vävning som jag faktiskt kan försörja mig på numera, han sitt företag och diskoteket som gick strålande, åtminstone tills den där misshandeln inträffade. Vi har råd att resa och göra roliga saker om vi vill, vi kan äta gott varje dag. Och han pratar om bitterhet och att äntligen prioritera sig själv. Ursäkta mig, men jag begriper ingenting.

Elisabeth Algårds röst hade stegrats, hon lutade sig framåt över bordet och flyttade blicken mellan Karin och Knutas som om hon ville övertyga dem. Karins hade fastnat med handen kring kaffekoppen. Elisabeth Ahlgård fortsatte som om det var en fördämning som brustit.

– Och allt detta ville han förstöra, riva ner. Inte brydde han sig om mig, att han faktiskt var beredd att krossa hela mitt liv. Och barnen. Inte tog han nån hänsyn till dem. Nej, han tänkte bara på sig själv. Han berättade att han ville skiljas en vecka före min födelsedag. Bara en sån sak. Och i sommar skulle vi ha rest till Italien i en månad, hela familjen, och hyrt hus i Toscana. Det kanske hade blivit den sista semestern med alla tillsammans, rätt som det är får väl barnen sina egna familjer. Våra vänner förstod ingenting de heller, de kunde inte fatta hur han kunde vilja lämna mig och allt vi har. De trodde det var en nyck, en ålderskris. Men jag vet inte... Och vad hände? Han går och dör ett par veckor senare. Så mycket för att satsa på sitt eget liv. Vore det inte så sorgligt så skulle jag skratta ihjäl mig. Ja, det skulle jag. Hela situationen är fullkomligt absurd.

Äntligen tystnade hon och tog en djup klunk av kaffet. Elisabeth Algård betedde sig inte alls som Knutas hade förväntat sig. Den sörjande, förtvivlade änkan. Hon verkade mest förbannad. Han insåg att hon gått och grubblat rejält de senaste veckorna.

– Hade han några ovänner som du känner till? fortsatte Knutas. Nån som ville honom illa?

– Det är klart att han hade. Efter misshandeln av den där sextonåringen utanför diskoteket fick han väl halva Gotland emot sig. Många framställde det till och med som att det var hans fel att den där pojken nästan slogs ihjäl. Och så det här med skilsmässan. Alla våra släktingar och bekanta var förvånade över hans beslut, ingen förstod honom. Men att nån skulle mörda honom för den sakens skull är naturligtvis helt befängt.

– Hur såg Viktor själv på misshandeln?

– Han tyckte förstås att det var förskräckligt. Var helt chockad efteråt och skyllde på allt utom sig själv. Att det var föräldrarnas fel som inte höll reda på sina ungar bättre, att vakterna inte ingripit tidigare och mer kraftfullt när de såg vad som höll på att hända, att polisen inte har bättre bevakning utanför krogen när de vet vad som försiggår med fylla och bråk. Han var tillintetgjord och åkte hem till mamman med blommor men blev utkastad med huvudet före. Hon tyckte det var hans fel. Hon driver ju restaurang Klostret i närheten och Viktor hävdade att hon, bortsett från misshandeln, var arg på honom för att han skrämde bort hennes kunder med sina stökiga diskokvällar.

– Du menar Ingrid Almlöv?

– Ja. Och jag vet att Viktor tog väldigt illa vid sig för att hon inte ville ta emot honom. Han försökte flera gånger.

– Kan han ha skaffat sig andra fiender i och med misshandeln eller helt enkelt för att han drev klubben på det sätt han gjorde? frågade Karin.

– Självklart. Vakterna blev sura för att han anklagade dem för att ha misskött sig, de riskerar att bli av med jobbet nu. Och tänk på alla föräldrar och andra som har bråkat ända sen han öppnade.

– Men han fick inte ta emot några konkreta hot – som du känner till?

– Nej.

Knutas begrundade vad änkan sagt. Hela historien med misshandeln och Viktors krog måste de undersöka noggrant. Han skulle själv ringa till Ingrid Almlöv senare samma dag.

Han hade pratat med henne ett antal gånger sedan sonen råkade illa ut, men samtalet hade inte rört sig i de här banorna. Tanken på att ta upp det med henne när hennes son svävade mellan liv och död gjorde honom illa till mods.

– Tänk efter noga nu, insköt Karin, om vi bortser från allt detta med misshandeln och skilsmässan – hade Viktor gjort sig ovän med nån annan? Det kan ligga långt bakåt i tiden, det behöver inte handla om nåt som är aktuellt just nu.

Elisabeth Algård tog en bulle från fatet och tuggade långsamt medan hon såg ut att tänka efter.

– Den enda jag kan komma på är i så fall Sten Bergström som bor ute vid Holmhällar. För några år sen startade han en liknande verksamhet som den Viktor hade. I början var det bara fråga om enstaka tillställningar. Först arrangerade han ett stort bröllop här i bygden som blev väldigt lyckat. Ja, vi var till och med bjudna. Efter det fick han så många förfrågningar om bröllop och även andra fester att han startade ett företag som specialiserade sig på framförallt bygdefester, lite enklare arrangemang än vad Viktor var van vid. Men problemet var att han gav företaget ett namn som var larvigt likt namnet på Viktors, som heter "Go Gotland". Sten Bergström döpte sitt till "Goal Gotland". Med tiden började Sten få uppdrag från kunder som tidigare anlitat Viktor. Hans företag växte. Viktor blev alltmer missnöjd och även oroad över konkurrensen. Efter ett tag började det gå rykten om att Sten Bergströms fester urartade och att det ofta blev fylla och bråk. Jag tror att han förlorade rätten att servera alkohol, och så småningom gick han i konkurs.

– Hur länge sen var det här? frågade Karin.

– Tre, fyra år sen kanske. Efter konkursen pratade de aldrig mer med varandra. Det är nog den enda riktiga ovän jag kan komma på.

Knutas antecknade namnet. Karin bytte spår.

– Och barnen – vad tyckte de om att ni skulle skiljas?

– Svårt att säga, de är ju stora nu. Fredrik är tjugoåtta och Sofia tjugosex. Båda bor i Stockholm och lever sina egna liv. De verkade inte särskilt upprörda nån av dem, fast de kanske inte vill säga vad de egentligen tycker och tänker. Barnen hamnar ju i en lojalitetskonflikt, de vill väl varken hålla med den ena eller den andra.

Elisabeth Algård suckade djupt och hällde upp mera kaffe.

– Hur reagerade du på beskedet om Viktors död? frågade Karin.

– Först när polisen kom hade jag en sån migrän att jag knappt orkade reagera när de berättade att Viktor var död. Och att de till råga på allt misstänkte brott. Sen när huvudvärken äntligen började lägga sig hade jag svårt att ta in det. När jag så småningom fattade vad som hänt började jag känna mig arg. För att han var död och att jag inte kunde prata med honom. För att jag fortfarande inte fattade varför han ville skiljas. Hur han hade fått idén. Jag är arg för att vi aldrig får chansen att reda ut det. Snuvad. Jag befinner mig i ett vakuum, kan inte ta mig för nånting. Nu är det ju en massa som ligger framför med begravning, arv och testamente och ekonomi. Hur jag ska göra med gården, om jag över huvud taget har råd att bo kvar. Viktors firma, ja allt. Det finns ingen plats för sorg, känns det som. Bara en massa praktiska saker som ska ordnas och så min egen ilska som jag inte vet vad jag ska göra av.

Knutas tyckte uppriktigt synd om Elisabeth Algård. Han hade medvetet väntat med frågan om hennes mans eventuella kärleksaffär.

Karin gjorde det enkelt för honom genom att själv ta upp den känsliga punkten.

– Det är en sak som vi måste fråga dig om, började hon. Känner du till om Viktor hade träffat nån annan? En ny kvinna?

Elisabeth Algårds ögon smalnade.

– Vad menar du?

Karin skruvade besvärat på sig, gav Knutas en snabb blick som om hon sökte hjälp. Hon fick ingen.

– Vissa som vi har pratat med påstår att de misstänker att Viktor hade en älskarinna.

Änkan reste sig, ställde sig vid fönstret, halvt bortvänd från de två poliserna, och såg ut genom fönstret. Rösten var torr, samlad.

– Vilka har påstått det?

– Flera vittnen har berättat att de under den senaste tiden har fattat misstankar om att han var förälskad. Detta kan vara av största betydelse för utredningen. Tänk efter. Har du märkt nån förändring i hans beteende? Minsta tecken som skulle kunna tyda på nåt sånt?

– Ingenting. Jag har absolut inte märkt nånting.

– Brukade du sova över i Viktors lägenhet i Visby?

– Nej.

– När var du där senast?

– Herregud, det måste vara minst ett år sen. Jag har aldrig några ärenden dit.

– Så du har inte några personliga tillhörigheter där, som kläder, toalettsaker?

– Nej.

Elisabeth Algård vände sig om, såg uppgivet på de båda poliserna.

– Så ni har hittat sånt? I Viktors lägenhet?

Knutas kunde inte annat än nicka.

Ännu en natt hade Johan sovit riktigt dåligt. Elin hade vaknat minst tio gånger och hostat så att det lät som om lungorna skulle spricka. Han hade ringt både till sjukvårdsupplysningen och akuten men fick rådet att ta det lugnt, ge henne hostmedicin och avvakta. Typiskt, tänkte han irriterat, bara för att de vill spara på sina jäkla resurser. Han ångrade djupt att de inte låtit vaccinera henne mot kikhosta, men både han och Emma hade bedömt vaccinet som för nytt och oprövat.

Vid fyratiden somnade hon äntligen ordentligt och sov fortfarande djupt när han klev upp. Emma skulle stanna hemma med Elin så länge som det behövdes. Johan hade tagit hand om dottern veckan före men var nu överhopad med arbete på grund av mordet på Viktor Algård. Dessutom var Emma allmänt trött och sliten och erkände utan omsvep att hon faktiskt var glad över att slippa gå till jobbet. Hon arbetade som lärare på lågstadiet på den lilla Kyrkskolan utanför Roma. Vårkänslorna spratt i ungarna och de var stimmigare än någonsin.

Turligt nog hade han och Pia kommit överens om att han

inte behövde komma in till redaktionen, hon skulle plocka upp honom i Roma på vägen söderut. Han satte på kaffebryggaren och gick in i duschen. Morgontidningarna hade som väntat slagit upp mordet i kongresshallen stort. Nyheten täckte de båda lokaltidningarnas förstasidor och ett stort antal nyhetssidor inne i tidningarna. Ingen av dem avslöjade offrets identitet utan talade om "en välkänd person i Visbys krogvärld". När Johan noggrant läst igenom artiklarna om mordet föll ögonen på en notis i Gotlands Allehanda. Den handlade om tillståndet för den misshandlade sextonåringen. Jäklar, det hade totalt fallit bort ur hans skalle under gårdagen. Läget var fortfarande allvarligt. Måste komma ihåg att kolla det där under dagen, tänkte han.

Pia dök upp prick klockan nio som överenskommet och de styrde söderut.

– Jag tycker vi börjar med Birgitta Österman, hon som brukar vara hundvakt åt Algårds.

– Ställer hon upp, tror du?

– Jag har redan pratat med henne, flinade Pia.

– Självklart. Det borde jag ha fattat.

Gården de skulle till låg en bit före Algårds, på motsatta sidan av vägen. Det var en imponerande mangårdsbyggnad i kalksten med ladugårdslängor på ömse sidor och en hästhage där en unghäst rastlöst travade fram och tillbaka. Dörren öppnades innan de hann kliva ur bilen. Birgitta Österman var en bastant kvinna i sextioårsåldern, hon log vänligt när de presenterade sig och bad dem stiga på. De tackade nej till det annars obligatoriska kaffet. I stället slog de sig ner i utemöblerna. Solen värmde och i trädgården var det vindstilla.

– Vad säger du om mordet?

– Ja, man blir helt chockad. Birgitta Österman ruskade på

huvudet. Även om det hände borta i Visby så känns det så nära i och med att han bodde granne.

– Hur var Viktor?

– Ska jag vara helt ärlig så tålde jag honom inte. Det var nåt lurt med honom, jag blev aldrig klok på karln. Visst var han artigt trevlig på grannars vis, men det fanns nåt besvärat över honom, som om han inte kunde koppla av. Jag hade alltid en känsla av att han inte hade rent mjöl i påsen, jag vet inte varför. Det var bara så. Ända från första början. Eftertänksamt tittade hon bort mot Algårds ägor. Det visade sig ju mycket riktigt att han inte var att lita på eftersom han ville skiljas helt plötsligt. Ja, Elisabeth berättade det för bara nån vecka sen.

Det klack till i Johan. Detta var något nytt, men han höll masken.

– Vet du varför?

– Hon fattade ingenting, nej, det var det ingen som gjorde. Alla tänkte att han kanske hade en femtioårskris. Men jag begrep att han hade en annan.

– Jaså? Vad får dig att tro det?

– Jag tror ingenting, jag vet att det var så.

– Hur kan du vara så säker?

– Därför att jag såg dem. Inte här, nej, men i Stockholm. Jag åkte upp en helg för att träffa en väninna som bor i Vasastan. Ja, det brukar jag göra några gånger om året. Vi var på väg till en restaurang och tog ett glas vin på ett ställe först och gissa vem jag såg där om inte Viktor. Med ett annat fruntimmer! Jag höll på att få slag och visste inte hur jag skulle bete mig. Men de stod längst inne i baren och var så uppslukade av varann att de inte hade ögon för nån annan. De kuttrade och satt med huvudena tätt ihop så det gick inte att ta miste på vad det var fråga om. De gick sen ganska snabbt så han upptäckte inte mig. Då hade han väl fått dåndimpen.

– Hur såg hon ut? frågade Johan och ansträngde sig för att inte låta för ivrig.

– Det var en nätt liten sak. Hon var kort i rocken och hade blont hår, till axlarna ungefär, som en page. Spinkig och fint klädd. Jag såg aldrig hennes ansikte.

– Hur gammal?

– Jag skulle gissa på fyrtiofem, femtioårsåldern.

– Har du berättat det här för polisen?

– Nej, jag var inte hemma i går när de var runt och pratade med grannarna. De har lämnat en lapp om att de vill att jag ringer. Har bara inte hunnit än, jag har varit ute och utfodrat djuren på morgonen.

– När såg du Viktor i Stockholm?

– Ja, det var ganska precis en månad sen.

– Kände hans fru till den här andra kvinnan?

– Ingen aning. Hon sa ingenting om det i alla fall. Å andra sidan är det väl inget man går och pratar om direkt och vi är ju inte så nära vänner. Mera som bekanta. Och jag ville inte säga nåt, jag är inte den som springer med skvaller.

Det första som slog Knutas när han träffade Viktor Algårds barn i polishuset var att de var påfallande olika.

Sonen Fredrik var relativt kortväxt, robust med olivfärgad hy och hade samma bakåtkammade mörka hår som sin far. Han var klädd i en vit bomullsskjorta med grönrutig slipover vilket förde tankarna till en amerikansk collegegrabb.

Hans syster Sofia var lång och ljus, hon bar en lila storskjorta, svarta tights och mönstrade tygskor. Hon hade enorma silverringar i öronen och palestinasjal.

Tysta och spända satt de tätt intill varandra på en bänk i korridoren utanför förhörsrummen.

Karin och Knutas valde att börja med sonen.

De slog sig ner, Fredrik Algård frågade genast efter ett glas vatten. Knutas slog på bandspelaren.

– Jag vill börja med att beklaga sorgen. Som du förstår måste vi ställa en del frågor.

– Naturligtvis.

Den unge mannen såg uppmärksamt på honom. Knutas frapperades återigen av likheten med Viktor Algård.

– När träffade du din pappa senast?

– På hans födelsedag för ett par månader sen. Han är född den sista februari.

– Vad fick du för intryck av honom då?

– Han var som vanligt. Vi var hemma i Hamra. Det var ett ganska stort kalas, kanske ett femtiotal personer. Pappa tyckte om att fira ordentligt.

– Hur då menar du?

– Jo, han var en riktig festprisse, även utanför jobbet. Det var väl därför han höll på med det han gjorde. Pappa älskade fester och det skulle alltid slås på stort så fort det var nåt.

Knutas kunde ana ett stråk av förakt i rösten. Karin kom in med ett glas vatten och slog sig sedan ner på en stol längst bak i rummet. Hon var med som förhörsvittne.

– Och vad tyckte du om det?

– Inte gjorde det mig nåt. Jag brydde mig inte.

– Vad hade du för relation till din pappa?

– Den var inget vidare. Han jobbade jämt när vi växte upp och var nästan aldrig hemma. Så egentligen kände vi inte varann särskilt väl. Jag står mamma närmast, helt klart.

– Hur reagerade du på att de skulle skiljas?

– Jag tyckte det var på tiden.

– Varför då?

– De befann sig milslångt ifrån varann, på alla plan. De hade vitt skilda intressen, tyckte inte om att göra samma saker, även politiskt hade de olika värderingar – ja, pappa hade väl knappt en egen uppfattning. Han var så okunnig. Mamma slukar böcker, pappa nöjde sig med kvällstidningen och glassiga magasin som handlar om kändisvärlden. De hade olika syn på nästan allt, tyckte inte ens om samma sorts mat. Mamma är vegetarian och pappa älskade blodiga biffar. Mamma engagerade sig i Röda korset och andra välgörenhetsprojekt, medan pappa struntade i omvärldsproblematik. Jag minns att han skällde ut mamma när hon skaffade ett fadderbarn i Guatemala.

Mamma bryr sig om sin familj på ett helt annat sätt än han gjorde. Hon brukar åka till Stockholm ganska ofta och hälsa på oss. Han följde aldrig med. Hon har sina vänner och sitt umgänge, de reser och går på teater. Mamma läser mycket och hänger med i samhällsutvecklingen. Skulle man diskutera en aktuell fråga om världspolitik eller ett hett ämne i den allmänna debatten så hade pappa aldrig nåt vettigt att säga.

Röda fläckar hade uppträtt på Fredrik Algårds hals. Han drack flera klunkar av vattnet.

– Vet du om din pappa hade några ovänner?

– Han hade nog hunnit samla på sig en del under åren. Det vet man väl hur krog- och kändisvärlden är. Snygg yta, men en massa skit under.

– Hur menar du?

– Pappa brydde sig bara om dem som för tillfället kunde gagna honom. De rika, lyckade och berömda människorna. Om en artist som räknade honom som en verklig vän hamnade i skuggan, så var han plötsligt inget värd i pappas ögon. Om en välkänd författare slutade sälja böcker, en toppolitiker avslöjades med spritproblem eller en skådespelare hamnade på fallrepet så existerade de plötsligt inte längre.

Knutas förvånades över den unge mannens sätt att uttrycka sig. Och sarkasmen gick inte att ta miste på.

– Med andra ord menar jag att det fanns säkerligen många som var besvikna på pappa. Men om de skulle gå så långt som att mörda honom är en annan sak.

– Och du då, vad kände du för honom?

– Ska jag vara helt ärlig så var det inte mycket. För att få förtroende och respekt så måste du visa det själv, eller hur?

Man får den relation till sitt barn som man är värd. Allt beror på hur man själv har agerat som förälder.

Orden fick Knutas att vända blicken inåt igen. Han blev rädd för vad han såg.

Han skakade av sig olustkänslorna och fortsatte:

– Det låter nästan som om du tyckte illa om honom?

– Nej det kan jag inte säga att jag gjorde. Han hade sina goda sidor, han som alla andra. Men vad är det som säger att man måste älska sina föräldrar? Det måste man inte alls. Hedra din fader och din moder. Vad är det för skit? Ska jag älska honom bara för att han fick några sekunders utlösning när han gjorde mamma med barn och jag blev till? Han har aldrig brytt sig om mig. Vi har bara råkat bo i samma hus.

Knutas kastade en blick på Karin. Samtalet blev alltmer olustigt. Fredrik Algårds ilska kändes i hela rummet.

– Känner du till om din pappa fick ta emot hot?

– Nej.

– Märkte du av nån förändring i hans beteende på sista tiden?

– Nej, jag träffade honom som sagt när han fyllde år i februari och gången dessförinnan var i julas.

– Inte när din mamma fyllde år, det var väl helt nyligen?

– Ja, men då kom hon till Stockholm. Hon var arg och ledsen på honom för att han ville skiljas. Vi firade med henne hemma hos oss i stället.

– Du bor ihop med nån?

– Ja, min tjej Sanna. Vi bor på Söder, vid Mariatorget.

– Och du pluggar?

– Ja, statsvetenskap på universitetet. Jag har en juristutbildning också, men vill bredda mig. Det är sista terminen, sen är jag klar.

– Hur länge stannar du på Gotland?

– Jag har det lugnt i skolan just nu så jag blir här i åtminstone en vecka. Mamma behöver all hjälp och allt stöd hon kan få.

En blick i hisspegeln räcker som påminnelse om min ömkliga belägenhet. Jag har magrat och ser ganska eländig ut. Men jag är hel och ren, det får räcka. I dag ska jag gå ut, vilket kräver mental uppladdning.

Livet numera är en kamp, ett moment i taget att klara av, periodvis råder stiltje och vakuum. Måste tänka i små steg. Rensa bort allt annat. Drömmar jag haft, mål eller ambitioner existerar inte mer. Minns inte längre vilka de var. Om jag ens hade några.

Nästa prövning kommer när jag öppnar den tunga porten ut mot gatan. Som en svidande örfil träffar stadens trafikbrus, människor och lukter mig i ansiktet. Har inte märkt att det regnar. Fryser i min tunna jacka, möter ingen människas blick på vägen. Stänger in mig, låtsas att de inte finns: poplinrockarna, jackorna och kapporna, de randiga paraplyerna, portföljerna och axelväskorna i brunt skinn. Gummistövlarna och promenadskorna. Diffusa ansikten som skymtar förbi, suddiga masker.

Äntligen framme. Lätt panik när jag först inte minns portkoden. Gräver efter lappen i fickan, andas ut när mina darrande händer får fatt i den. Klarar inga motgångar nu.

Rummet är fyrkantigt med ett fönster mot gatan, en bädd på ena sidan och på den andra ett litet bord och två fåtöljer.

– Jag hade en otäck dröm i natt.

– Låt höra.

– Jag drömde att alla mina tänder svartnade och förvandlades till porösa kolbitar, en efter en lossnade de och föll ner i mina kupade händer. Strax var gommen tom och händerna fulla. Jag tänkte förtvivlat, jag som är så ung. Jag vaknade av att jag skrek och sen kunde jag som vanligt inte somna om.

– Vad tänkte du på? När du låg vaken?

– Mina fasansfulla tonår. Jag har inte haft den där drömmen på väldigt länge, men jag drömde den ofta då, under högstadietiden.

– Det låter som ångest.

– Det var ju det jag hade. I tre år.

– Kan du berätta?

Jag skakar på huvudet, vill egentligen inte. Vet att när jag plockar fram minnena förflyttas jag på ett ögonblick tillbaka till den tiden. Och det gör ont. Samma avgrundsdjupa känsla av förtvivlan. Sitter fast i min kropp för alltid. Så länge jag lever.

– Försök.

– Det är inte klokt. Jag har till exempel fortfarande svårt för att duscha.

– Duscha?

– Ja. Och det är sen skoltiden. Att det sitter i än. De första åren i skolan var jag ganska populär – då på låg- och mellanstadiet. På foton från den tiden såg jag ofta glad ut, kompisarna tyckte att jag var rolig, lite av klassens clown, och så var jag bra på fotboll. Jag gillade sport och musik, det var mina största intressen. Skolan tyckte jag var kul. Men när

100

jag började i sjuan förändrades allt.

– Hur då?

– Fortfarande har jag ingen aning om vad som hände, men det var i samband med att pappa dog. Bilolyckan inträffade den sommaren, mellan sexan och sjuan. Mamma och pappa var visserligen skilda sen länge, men vi bodde i ett litet samhälle och alla visste allt om alla. Det var nåt med den där olyckan... Vi barn var på kollo nästan hela sommarlovet. När jag kom tillbaka så hade mina gamla kompisars attityd gentemot mig förändrats. De undvek mig. Ingen ville vara med mig.

Jag började högstadiet i en ny skola och en ny klass och plötsligt var det som om jag inte fanns. Klasskamraterna behandlade mig som luft, ingen växlade ett enda ord med mig, bevärdigade mig knappt ens med en blick. Under hela högstadietiden pratade jag inte med nån i skolan. Jag var ensam på raster, i matsalen, aldrig vald, aldrig tilltalad. Strök som en skugga utefter väggarna. Utfrusen.

– Och det där med duschen?

– Duschen?

– Du sa nåt om att du har svårt för att duscha.

– Jo, för gymnastiken var allra värst. Jag var minsta killen i klassen, sent utvecklad och såg ut som en barnunge. En efter en hamnade de andra killarna i puberteten. Många var flera huvuden högre, de fick breda axlar och kom i målbrottet. Fjuniga överläppar och hår på benen och i armhålorna. Adamsäpplen stora som fullmogna plommon. På gympan försökte jag gömma mig i omklädningsrummet. Det var en plåga att behöva klä av sig inför de andra. Jag tog alltid den innersta duschen, stod med ryggen till, tvålade in mig snabbt som fan.

Jag blundar, minnena är smärtsamma. Det svider bakom

ögonlocken. Orkar inte gråta nu, mår lite illa, men fortsätter:

– Än i dag kan jag höra ljuden från spolande duschar, grova röster, skämt och skoj. Smällar från handdukar som slås mot varandra. Vattenkrig, handdukskrig. Och jag själv, i hörnet med ryggen vänd mot alla andra. Rena tortyren. Och lektionerna. Jag blev aldrig vald. Suckarna från dem som tvingades ha mig i laget, de passade aldrig bollen. När jag ligger vaken om nätterna kan jag se minerna, höra kommentarerna.

– Hur stod du ut?

– Det gjorde jag inte. Till slut bad jag läraren om att få träna diskus i stället. Kan du tänka dig, diskus av alla konstiga grejer? Och läraren gick med på det. Så i stället för att vara med på basket och fotboll med de andra, vilket egentligen var det bästa jag visste, stod jag ensam på en gräsplätt på baksidan av gymnastiksalen och kastade diskus. Lektion efter lektion. Läraren brydde sig inte, han lät mig hålla på. Det var väl enklast för honom.

Tystnaden lägger sig i rummet. Jag dricker ur vattenglaset på bordet för att stävja illamåendet. På väg att falla ner i mörkret, vill inte dit. Klamrar mig fast vid glaset, håller det mellan bägge händerna. Måste behålla koncentrationen. Hur ska jag klara mig hem? Är på väg att brista. Öppnar munnen igen, orden kommer automatiskt. Lyssnar till rösten som låter främmande, som om den inte tillhör mig.

– Om jag bara haft en aning om vad jag hade framför mig när jag klev in i klassrummet på uppropet i sjuan. Ett tre år långt beckmörker. Tre år av en oändlig räcka svarta dagar. Av ångest varje morgon när jag tvingades ur sängen. Tre år av förnedring, tillintetgörande. Förstår du vad det gör med

102

en människa? Jag har aldrig förstått varför de avskydde mig så. Jag har varit fullständigt ensam.

Minnena sitter i kroppen. Mina händer skakar så våldsamt att jag måste släppa glaset.

– Men hemma under alla de här åren som du mådde så dåligt. Märkte inte din mamma nåt? Vad gjorde hon?

Jag hör bitterheten i min röst.

– Hon gjorde ingenting.

– Inget?

– Det måste ha varit hur tydligt som helst att jag mådde pissdåligt. Jag ville inte gå upp ur sängen på morgnarna. Hela eftermiddagarna och varje kväll låg jag ensam på mitt rum och lyssnade på musik i mina hörlurar. Fattar du? Varje kväll! Vardag som helg. År ut och år in. Inte en enda kompis kom hem till mig på tre år. Ingen ringde. Och vad gjorde min mamma? Ingenting.

– Pratade ni aldrig om det? Frågade hon inte hur du mådde?

Jag förmår inte svara. Illamåendet är över mig med full kraft och det känns som om jag ska kräkas när som helst. Mina ögon blir dimmiga. Jag ser att min samtalspartner lutar sig framåt och säger något men jag hör inte längre rösten.

Kan inte sitta kvar. Tar min jacka, rusar ut genom dörren, springer hela vägen tillbaka hem. På vägen knuffar jag nästan omkull en barnvagn, en kvinna skriker glåpord efter mig. Utanför Konsum välter jag en hink med tulpaner.

Lyckas hålla mig i hissen. Så fort jag öppnat dörren rusar jag in på toaletten.

Får upp locket i sista stund.

Johan hade nog aldrig fått så mycket kritik för ett inslag som för reportaget om mordet i kongresshallen, vilket sändes på måndagskvällen. Regionalnytt var ensamma om att gå ut med Viktor Algårds identitet, dessutom var de först med uppgifterna om skilsmässan och att Algård troligen hade en älskarinna. Alltsammans orsakade en upprörd diskussion om etik.

Efter varje sändning hade Johan och Pia ett kvällsmöte över telefon med huvudredaktionen i Stockholm och båda blev hårt ansatta, främst för att de valt att publicera uppgifterna om älskarinnan. Att grannens misstankar om Algårds vänsterprassel bekräftades av flera av hans anställda hjälpte inte.

Flera på redaktionen tyckte också att det var hårresande att Regionalnytt avslöjat offrets identitet bara ett dygn efter det att han hittats mördad. Johan försvarade sig med att det hade ett stort allmänintresse på Gotland eftersom Viktor Algård var en så pass välkänd person. Dessutom hade de kollat med polisen att alla anhöriga var underrättade.

Sammantaget ansåg Johan, Pia och redaktionschefen Max

104

Grenfors att uppgifterna var tillräckligt relevanta för att publiceras eftersom det var fråga om ett uppseendeväckande mordfall och de kunde ha betydelse för motivet.

Trots att Johan eldat på ordentligt när han försvarade sig och säkert låtit fullständigt övertygande i sin argumentation, gnagde tvivlet i honom när han körde i mörkret på vägen hem till Roma.

Han hoppades att Emma fortfarande var vaken. Vad han behövde nu var ett glas vin och att få prata.

Och Emma. Han längtade efter henne. Han längtade alltid efter henne. Nu fick han äntligen vara hos henne, hela tiden. Somna varje natt, vakna varje morgon.

Deras förhållande hade gått upp och ner ända sedan de träffats fem år tidigare. Då var Emma gift med Olle, hon hade två barn i småskolan och levde ett stillsamt familjeliv i Roma.

Sedan träffade hon Johan. Han intervjuade henne i samband med ett mordfall och de blev blixtförälskade. Så småningom skilde hon sig från Olle och blev gravid med Johan. Förhållandet hade varit stormigt ända sedan dess. Mot alla odds hade de gift sig förra sommaren. Johan hade börjat tvivla på att det någonsin skulle bli av när hon plötsligt sa ja till hans frieri. När det äntligen blev dags och han stod där på kyrkbacken så dök hon inte upp. Fårö kyrka var fullsatt, klockan hade passerat tidpunkten för vigseln med råge, prästen vred sina händer. Hans best man Andreas såg ut som en ledsen hund och själv ville han bara försvinna. En halvtimme försenad kom hon äntligen med andan i halsen tillsammans med sin brudtärna. De hade fått punktering och lämnat mobiltelefonerna hemma.

Sedan ett halvår tillbaka levde de ett vanligt småbarnsfamiljeliv med sin treåring Elin och varannan vecka utökades familjen av Emmas tidigare barn, Sara och Filip, som var tio och elva år gamla. Johan hade flyttat in hos Emma i Roma och hyrde ut sin lägenhet på Södermalm i Stockholm i andra hand.

Han hade bytt ut sina snabbinköp på Seven Eleven mot storhandel på Willys, sin hämtpizza mot hemlagad mat på bestämda tider. Han hade blivit expert på korv Stroganoff, köttfärssås och pannkakor. Sovmorgnarna på helgerna hade ersatts av grötfrukost med barnen i köket, lek med dockskåp och plastbilar, barnprogram på TV, Fia med knuff, fotboll och pulkaåkning.

I stället för sena krogkvällar somnade han framför TV:n vid tio, med Emma mot axeln och ibland en unge eller två i knäet. Jobbet slukade honom inte på samma sätt som tidigare. Han kom på sig själv med att mitt i en redigering börja fundera på vad Elin sysslade med på dagis, blev stressad av en sen intervju eftersom barnen skulle på simning, fotbollsträning eller att det var föräldramöte i skolan. Från att ha varit en sådan som dröjde sig kvar på jobbet, fastnade framför datorn eller i ett samtal, hade han nuförtiden alltid bråttom hem. Andra väntade på honom, behövde honom. Han älskade det.

Det hade blivit mörkt när han parkerade utanför huset. Det lyste i nästan alla fönster. Emma var vaken.

– Hallå, ropade han när han klev in genom dörren och sparkade undan tio par skor och små blommiga gummistövlar som låg i vägen.

– Hej, hej, hörde han från köket. Hon satt i sin vanliga grå mjukisdress och med det långa, sandfärgade håret hängande löst ner på ryggen. Ögonen var trötta.

Han gav henne en kram.

106

– Hej älskling. Hur är det?

– Jo bra. Elins hosta är bättre. Hon sover, gudskelov.

Johan gick uppför trapporna till övervåningen. Gläntade på dörren till Saras rum. Andetagen var djupa och långa, hon sov alltid så tungt. Han strök henne försiktigt över kinden och släckte sänglampan som lyste henne rakt i ansiktet. Filip låg med armarna utsträckta ovanför huvudet och munnen vidöppen. Täcket hade han sparkat av sig. Johan betraktade honom en stund. Lite kändes Filip faktiskt som hans egen son. De hade haft så kul på sistone – fotbollsintresset hade de gemensamt och Johan hade följt med på en match veckan före. Filip hade gjort sitt första mål och de hade firat med att äta hamburgare.

Så Elin, vars rum låg längst in, bredvid hans och Emmas. Alla gosedjur var prydligt uppradade i sängen, hon fick knappt plats själv. Där låg hon och trängdes med dockor, kaniner, nallar och lurviga hundar, en apa med långa armar och en mjuk elefant. Alla hade namn och när man pussade Elin god natt så måste man pussa alla djur, i en viss turordning. Han smålog och kysste henne på pannan vilket resulterade i en darrande suck och att hon vände sig om på sidan och tryckte en av kaninerna ännu hårdare intill sig.

När förhören med Sofia och Fredrik Algård avslutats var Knutas konfunderad. Han hade aldrig varit med om att två barn i samma familj hade så väsensskilda uppfattningar om en förälder. Medan Fredrik Algård var närmast hatisk mot sin pappa, höjde systern Sofia honom till skyarna. Han hade varit hennes bäste vän, alltid funnits vid hennes sida och ställt upp i ur och skur. Hon var förkrossad över hans död, fullkomligt tillintetgjord, och brast ut i gråt flera gånger under förhöret. Enligt henne var han världens bästa pappa.

Knutas gäspade stort, gned tröttheten ur ögonen, hämtade en mugg kaffe och köpte en torr macka i automaten. Han hade inte hunnit hem till middagen i dag heller. Tur att Line var så förstående. Hon var luttrad efter alla år, klagade nästan aldrig. Dessutom jobbade hon själv ofta sent, barnmorska som hon var. Det var lättare nu när ungarna hade blivit stora. Nils ansikte kom för honom. Han skulle bara plocka ihop några papper, sedan skulle han se till att komma hem innan Nils gick och lade sig.

Han tänkte på Elisabeth Algård. Uppenbarligen hade det

funnits en annan kvinna i Viktor Algårds liv, men vem var hon? Det kändes högst angeläget att hitta henne. Han undrade varför hon inte gav sig tillkänna, särskilt nu när offrets identitet avslöjats på TV. Fast det var å andra sidan bara några timmar tidigare. Kände hon över huvud taget till mordet?

Han hade under kvällen pratat med teknikerna som gått igenom Viktor Algårds telefoner och datorer. Det fanns varken sms eller mejlkorrespondens med någon kvinna som kunde tänkas vara den de sökte. Inte en enda människa i hans omgivning som polisen pratat med hittills visste vem som var festfixarens nyvunna kärlek. Allt de hade hittat var de kvarlämnade föremålen i övernattningslyan.

Lådan stod framför honom på bordet. En ordinär behå, ett par trosor i vit bomull av märket Sloggy. En bomullströja i medium och ett par linnebyxor i storlek 36. En necessär med makeup och toalettartiklar. Senare hade även en handskriven lapp hittats bland en hög gamla tidningar.

"Tack för i går. Älskar dig. Din hjärtegumma."

En blomma ritad längst ner.

Knutas tummade på lappen. Hjärtegumma. Också ett sätt att uttrycka sig.

Enligt hustrun planerade Viktor Algård att sova över i stan efter festen, vilket var helt naturligt och inget hon hade undrat över. Det brukade han göra när han arbetade sent.

Det som satte griller i huvudet på Knutas var det faktum att ingen telefon- eller mejlkontakt tycktes ha förekommit mellan Algård och hans älskarinna.

Grannarna i huset där han hade sin lägenhet hade förhörts. Inte heller där hade någon sett honom med en kvinna. Antingen var förhållandet väldigt nytt eller så brukade de träffas någon annanstans. Samtliga hotell och vinteröppna pensionat måste undersökas. Knutas gjorde en anteckning om saken.

Han vände och vred på lappen. Varför hörde inte människan av sig? Frustrationen kliade i kroppen. Fingeravtryck hade tagits i lägenheten men de hade bara hittat tre varianter: en tillhörde Algård, en annan var fastighetsskötarens som nyligen hade tätat fönstren och så fanns en tredje, som rimligtvis borde tillhöra den okända kvinnan.

Hur kunde de hålla sitt förhållande så hemligt? På Gotland kunde han själv knappt gå utanför dörren utan att stöta på bekanta.

Kanske bodde hon på fastlandet. Viktor Algård var en väl bibehållen femtiotreåring som månade om sitt yttre. Män i den åldern, Knutas själv var för övrigt lika gammal, sökte sig bevisligen oftast till yngre kvinnor. Kanske för att de var rädda för åldrandet eller bara gubbsjuka. En sådan som Viktor Algård hade säkert inga problem att hitta kvinnor. Han hade både pengar och makt och många ville sola sig i stjärnglansen som omgav honom.

Knutas drog ett nytt bloss på pipan. Någonstans hade de träffats, frågan var på vilken plats. Och hur höll de kontakt?

Utan att han visste varifrån dök en ny tanke upp i huvudet. Kunde det vara så enkelt?

Plötsligt fick han bråttom.

Övernattningslyan låg på Hästgatan mitt i centrala Visby, i ett vitputsat tvåvåningshus som rymde fyra lägenheter. Fastigheten var omgiven av ett högt träplank som skyddade från insyn. Till hans förvåning var dörren i planket olåst så det var bara att kliva in. Gården var påfallande vacker med prunkande rabatter, syrenbuskar och en porlande fontän i mitten. Tvärs över gården fanns en konstnärsateljé. Knutas gick först fram till ateljén som var stängd och tillbommad. En handmålad skylt prydd med en skock får i en hage hängde på dörren. På skylten hade någon målat med snirkliga bokstäver "Veronika Hammar".

Knutas läste namnet flera gånger. Hjärtat slog snabbare. Han tog några steg bakåt och betraktade fasaden. Veronika Hammar, en välkänd konstnär på Gotland. Hon som envisades med att måla får i alla möjliga och omöjliga skepnader. Hennes tavlor var kanske inte så väl ansedda lokalt, men hyggligt populära bland turister.

Han hade sett henne på fotografier från invigningen av kongresshallen. Veronika Hammar hade varit där. Och hennes ateljé låg på gården där Viktor Algård hade sin övernattningslya. Var det förklaringen till frånvaron av mejl och telefonsamtal? De befann sig så nära varandra att det inte behövdes. Men borde inte grannarna ha märkt något? Kanske inte om de var tillräckligt diskreta. Veronika Hammars ansikte kom för honom. En attraktiv kvinna, någonstans kring femtio gissade han.

Knutas skyndade sig tillbaka till polishuset.

Veronika Hammar gav ett nervöst intryck där hon satt på den yttersta kanten av stolen i det trånga förhörsrummet. Som om hon var på väg att lyfta när som helst. Lugn, bara lugn, tänkte Knutas. Det här kommer att ta tid.

Klockan närmade sig midnatt men hans tidigare trötthet var som bortblåst. Karin ledde förhöret.

Knutas betraktade Algårds älskarinna på andra sidan bordet. Hon såg yngre ut än sina femtiosex år, men han misstänkte att hon genomfört ett och annat ingrepp för att fördröja åldrandet. Den släta och strama hyn i ansiktet tydde på botox. Bysten såg ut att vara onaturligt hög och fyllig för en kvinna i hennes ålder.

Hon var en färgstark dam, med blont hår som hon bar uppsatt med en brokig sjal om huvudet. Liten och slank, klädd i mörka byxor och duvgrå polotröja. Läpparna var rödmålade och hon hade svarta streck kring ögonen.

När Karin talat in de sedvanliga inledande fraserna på bandet lutade hon sig bakåt i stolen och tittade vänligt på Veronika Hammar. Hon ville få den äldre kvinnan att slappna av. Rösten var mjuk när hon ställde första frågan.

– Förstår du varför du är här?

– Ja, sa hon osäkert. Det är väl för att Viktor är död.

– Vad hade du för relation till honom?

– Vad menar du?

– På vilket sätt kände du honom?

Veronika Hammar flackade med blicken.

– Jag och Viktor lärde känna varann för ett par månader sen.

– Ni måste väl ha träffats tidigare – du är ju en välkänd konstnär, han var Gotlands störste festarrangör och ni var i ungefär samma ålder?

– Jo, det är klart att vi har träffats, vi visste om varandras existens, men mer var det inte. Jag har förstås varit på en massa bjudningar och så, men ...

– Men?

– Ja, nu på sistone har vi lärt känna varandra ordentligt. Jag menar, vi umgicks och så.

– Som ett par?

Veronika Hammar slog ned blicken.

– Vi var förälskade. Ja, mer än så. Vi var så kära att vi tänkte gifta oss. Han hade till och med friat.

– Men Viktor var ju redan gift?

– De låg i skilsmässa. De hade skrivit på papperen och allting.

– Varför har du inte hört av dig till polisen?

Veronika Hammar fingrade nervöst på bordsskivan.

– Jag mår inte bra, mumlade hon. Kan jag få en cigarett?

Karin grävde fram sina cigaretter och räckte över paketet. Hon lutade sig fram och tände. Att röka i polishuset var inte tillåtet, men förhörsrummen utgjorde ett undantag.

– Det var så att jag var på festen och sent på kvällen skulle

114

Viktor ta en paus. Han frågade mig om jag ville följa med.

– Vad var klockan då?

– Lite efter tolv, tror jag. Showen hade just börjat.

– Vart gick ni?

– Viktor sa att vi skulle ses en trappa ner, det fanns visst en soffhörna där man kunde få vara i fred. Det var avstängt.

– Och?

– Jo, jag skulle följa med men behövde gå på toaletten, så han gick före. Sen blev jag fördröjd, jag träffade på några bekanta. När jag kom till det där rummet så var det tomt. Han var inte kvar.

– Är du säker?

– Ja, det var mörkt och tyst. Men jag gick ju inte in och letade. Jag ropade och fick inget svar, så jag tänkte att han hade väl tröttnat på att vänta. Jag blev väldigt besviken, faktiskt.

– Vad gjorde du?

– Jag gick tillbaka till festen.

– Vilken väg?

– Uppför stora trappan som alla andra.

– Du kikade alltså bara in?

– Ja.

– Var stod du? Gick du in i rummet?

– Nej, jag stannade i dörröppningen. Jag förstod ju direkt att det var tomt.

– Kan du minnas om du lade märke till nåt alls där inne?

– En av barstolarna var omkullvält, men jag tänkte inte mer på det.

Karin gav Knutas ett snabbt ögonkast. Stämde det som Veronika Hammar sa så hade de närapå en exakt tidpunkt för mordet.

– Vad gjorde du sen?

– Precis som jag sa, jag gick tillbaka upp till festen. Jag

115

tittade efter Viktor, men såg honom inte. Sen blev jag uppbjuden och så rullade kvällen bara på.

– Träffade du honom nåt mer?

– Nej. Vi skulle gå hem tillsammans, men han fanns ingenstans. Jag ville inte fråga för mycket heller eftersom vi skulle vara diskreta tills skilsmässan var klar.

– Gick du hem själv?

– Ja.

– När lämnade du festen?

– Det var när de stängde.

– Vad gjorde du under den sista stunden?

– Jag satt och pratade med en läkare ute på verandan.

– Vem då?

– Gunnar Larsson heter han.

– Var får vi tag i honom?

– På lasarettet. Jag vet inte var han bor, men han jobbar där som narkosläkare. Vi satt ute på verandan och pratade ganska länge.

– Gjorde ni sällskap ut?

– Ja, men sen ville jag vänta på Viktor. Jag trodde fortfarande att han skulle komma. Jag väntade kanske en halvtimme, men han kom aldrig.

Rösten skälvde och Veronika Hammar hade fått tårar i ögonen.

– Sen promenerade du hem själv?

– Ja.

– Vad var klockan då?

– Säkert närmare tre.

Karin tittade forskande på henne.

– Finns det nån som kan intyga att detta stämmer?

– Ja, det var ju en del folk kvar som stod ute och pratade, några ur personalen såg mig säkert. Vad menar du?

116

– Här är det jag som ställer frågorna, sa Karin med skärpa i rösten. Hennes tidigare vänlighet var borta och hon tog ingen notis om att Veronika Hammar såg ut som om hon var på väg att falla i gråt.

– Redan i söndags kväll var det ute i medierna att en man hade hittats död och troligen mördad i kongresshallen – du måste ha misstänkt att det kunde vara Viktor. Ni hade en relation, alltså är du i högsta grad insyltad. Varför i hela friden gav du dig inte tillkänna?

Veronika Hammar stirrade förskräckt på Karin.

– Jag ville inte bli inblandad.

– Inblandad? Trodde du på fullaste allvar att vi inte skulle få fatt på dig? Att inte en enda människa hade märkt nåt? Att ingen har sett er tillsammans?

– Ja, men ...

– Här är det mord vi pratar om, förstår du allvaret i det?

Veronika Hammar bet sig i underläppen. Händerna skakade när hon, omedelbart efter att ha fimpat, tände cigarett nummer två.

– Jag ... jag vet inte. Jag visste varken ut eller in. Jag är chockad och ledsen och bestört. Vi skulle ju gifta oss, jag och Viktor ...

– Vad tänkte du på?

– Jag greps av panik, jag kunde inte tänka klart. Jag ville låtsas som om ingenting hade hänt. Jag satt hemma och hoppades att han skulle kliva in genom dörren.

– Har du nån aning om vem som kan ha gjort detta? Vem som kan ha mördat honom?

– Det skulle väl vara hans fru i så fall. Hon verkar ju inte riktigt klok.

– Vad grundar du det på?

117

Veronika Hammar drog ett djupt bloss innan hon svarade.

– Hon blev helt galen när han sa att han ville skiljas. Löpte amok där hemma och kastade sönder saker, slog honom till och med. Hon var helt rabiat, vägrade acceptera det. Hon gjorde allt för att han skulle stanna kvar hos henne. Bokade en resa för hela familjen till Italien i sommar efter att han hade sagt att han ville skiljas. Hon försökte tvinga kvar honom, arma människan. Betedde sig som en galning, utan skam i kroppen.

Hon tystnade tvärt och tittade ner på sina händer. Sedan sa hon med svag röst.

– Hur dog han?

Frågan ekade i det lilla kala rummet.

– Han blev förgiftad.

– Men, hur...?

– Mer kan vi inte säga i det här läget, tyvärr.

Karin kastade en blick på sitt armbandsur och insåg att det började bli väldigt sent. Hon lutade sig fram mot bandspelaren.

– Klockan är 01.14. Förhöret med Veronika Hammar avslutas.

Tisdagsmorgonen kom och det första som slog Knutas när han vaknade var att han inte hunnit prata med Nils kvällen före. Han vände sig om på sidan och betraktade Lines fräkniga rygg. Strök försiktigt med fingertopparna över den lena huden. Han ville inte väcka henne, hon hade jobbat nattskiftet på lasarettet och antagligen just somnat. Som vanligt bredde hon ut sig så att han knappt fick plats. När han makade undan henne för att över huvud taget kunna kliva upp grymtade hon till och slog armarna om honom.

– Kram, viskade hon.

– Förlåt, väckte jag dig?

– Nej då, jag sover.

Hon borrade in sitt huvud mot hans bröst. Håret flöt ut över täcket.

– Hur var det med Nils i går kväll? frågade han.

– Jo, bra. Magvärken hade gått över. Vi åt min lasagne innan jag gick, Nils älskar den, som du vet. Vi hade det riktigt mysigt.

Line hade mycket bättre kontakt med Nils än han själv.

Mot henne var han mjuk och fräste nästan aldrig. Knutas kände ett styng av avundsjuka.

– Jag hade tänkt prata med honom i går kväll, men jag hann inte hem i tid.

– Gör det i kväll i stället. Jag jobbar natt igen och börjar klockan nio. Det kanske bara är bra att jag inte är hemma så får ni prata ifred.

Han tittade in till barnen innan han gick ner i köket. Klockan var inte mer än sex och det var för tidigt att väcka dem. Petra låg invirad i täcket, bara håret stack upp. Rummet var översållat med saker, men ändå rådde en viss ordning. Skrivbordet och hyllorna ovanför var belamrade med hårspray, parfymer, olika burkar och flaskor i grälla färger. Hon hade små anteckningsböcker och travar med kollegieblock och papper med noteringar. Han undrade vad som var nedskrivet där. Kläder, skärp, olika små väskor och skor låg i högar lite varstans. Väggarna var täckta med bilder på olika popstjärnor han knappt kände till namnet på.

Vad visste han om henne egentligen och om vilka tankar som rörde sig i hennes huvud? Hur många riktiga samtal förde de nuförtiden? När pratade de med varandra och vad sa de? Modstulet insåg han att det mest handlade om praktiska saker: vad de skulle äta till middag, om hon hade träning eller inte just den här kvällen och hur det hade gått i skolan.

Och så Nils. Han låg med ryggen vänd åt dörren och hade glömt att släcka skrivbordslampan. Han hade ärvt sin mammas rödlockiga tjocka hår. Rummet var naket, avskalat. Ingenting på väggarna, lite skolböcker på skrivbordet, annars bara datorn som han tillbringade alltför mycket tid vid i Knutas tycke. Sonen sov lugnt. Hur väl känner jag mina barn egentligen? tänkte han. Ett oroligt fladder i magen av rädsla för att de höll på att glida alltför långt ifrån honom. Om

120

han inte gjorde något snart skulle det kanske vara för sent. Vi borde resa iväg någonstans. Bara jag och barnen, tänkte han. Line var ofta ensam med dem på landet när han jobbade helger. Varför gjorde inte han samma sak?

Han drog tyst igen dörren till Nils rum. Någonting måste han hitta på, kanske en badvecka på Kanarieöarna eller en långhelg i en storstad: London, Paris, New York? Barnen fick välja vart de ville åka, inom rimliga gränser naturligtvis.

Kanske skulle gemensamma upplevelser hjälpa.

Jag vandrar genom rum efter rum och drar ner persiennerna i alla fönster. Det tar lite tid. Våningen är en fristad just nu visserligen, men jag är fjättrad här inne, som en fånge i en cell med för mycket yta. Att ta hissen fyra trappor ned tycks som vanligt snudd på oöverstigligt, även om jag skulle behöva handla. Ut på gatan, bland alla människor som jäktar på väg mot allt och inget. Jag är ingen del av det där längre. Det känns som om jag tittar ner i en jättelik myrstack. Människor och bilar far omkring, till synes planlöst hit och dit i vardagens ekorrhjul. Till vilken nytta?

In i badrummet, tar min medicin, med tvekan. Trycker ut två kapslar och ett litet runt piller. Sköljer med obehag ner med ett glas vatten. Jag har alltid haft svårt för att svälja. Undviker att se mig själv i spegeln, väl medveten om att det inte är en vacker syn. Magen är tom, men jag är inte hungrig, trots att jag knappt ätit på flera dagar.

Återvänder till soffan, lägger mig i fosterställning med ryggen mot rummet. Ögat torrt och vidöppet, oseende mot soffkuddens vita tyg. Vet att jag inte kommer att kunna somna. Bara ligga där, stum och orörlig. Som en del av inredningen. Precis som då.

Tänker tillbaka igen.

En av dessa söndagar. Vi åkte till moster Margareta och morbror Ulf som bodde innanför muren, alldeles vid kyrkan. Deras äldsta son, Marcel, var lika gammal som jag. Vi gick i samma gymnasieskola men låtsades inte om varandra där. Jag tittade alltid åt ett annat håll när jag såg honom i korridoren. Misstänkte att Marcel skämdes över att vi var kusiner.

Han döptes till Marcel därför att hans mamma älskade den italienske skådespelaren Marcello Mastroianni. Vi hade kanske kunnat vara kompisar. Om omständigheterna varit annorlunda. Om det inte vore för att jag själv ansågs som en tönt. Och dessa ständiga jämförelser oss emellan. Som våra mödrar stod för.

Marcel var redan en och åttiofem, hade hår under armarna och mustasch. Han var mörklockig och sammetsögd, välväxt med snygga armmuskler som han gärna demonstrerade inför sin mammas och mosters förtjusta fnitter.

Vardagsrummet luktade skoaffär, kanske berodde det på hörnsoffan i vitt skinn. Två meterhöga porslinshundar vaktade entrén. Det obligatoriska kaffet vid den obligatoriska tidpunkten. Två och inget annat. Skinnsoffan prasslade när jag sjönk ner i den. Kakan knastrade mellan tänderna, saften var en aning för stark. Moster Margareta och mamma pratade om ditten och datten, väder och vind och annat meningslöst kallprat. Som vanligt över huvudet på sina barn. Som om vi inte existerade. Vi var deras publik. Morbror Ulf höll mest tyst, sörplade på kaffet och tittade smått roat på de två pladdrande kvinnorna. Marcel tryckte i sig sitt fullastade kakfat och försvann till en kompis. Han hade inte mer än hunnit ut genom dörren innan skrävlandet satte igång på allvar.

– *Du förstår, Marcel är ju så populär. Har kompisar om-*

123

kring sig precis hela tiden. Vi ser knappt röken av honom nuförtiden, kacklade moster Margareta och såg omåttligt förtjust ut. *Tjejerna ringer och ringer och ska ha tag i honom i ett kör. Han var ihop med en flicka nu nyligen i nästan två månader, Helena, jättesöt och rar, verkligen trevlig, men så gjorde han slut och du kan inte ana vad jag har fått sitta i telefon och prata med det arma flickebarnet. Hon är helt förstörd, stackars liten. Men nu har han tydligen träffat nån ny, Isabelle, som till råga på allt är två år äldre. Det gör mig lite bekymrad, hon lär inte nöja sig med bara puss och kram om du förstår vad jag menar. Ja, jag har pratat med honom om preventivmedel och sånt, det är inte utan att man blir orolig. Man vill inte att han ska göra nån med barn, det vore förskräckligt. Och ute varje helg är han, både fredag och lördag. Det är partyn och fester och gudvetvad. Men så länge han sköter skolan så låter vi honom hållas. Han är så duktig, har femmor i nästan allt. Han pratar om att han vill bli läkare, kan du tänka dig. Fast det skulle han säkert passa till, han är så varm och öppen och utåtriktad, han ska absolut jobba med människor, det tycker jag. Fast jag kan inte fatta hur han hinner, ishockeyn tar så mycket tid. De tränar tre gånger i veckan och så är det matcher på helgerna. Vet du förresten att han blev vald till årets hockeygrabb i sin klubb? Ja, han är helt otrolig, jag förstår inte vem han brås på. Ha ha ha. Ulf har ju aldrig varit intresserad av sport, eller hur älskling?*

Hon tystnade bara när hon tog en klunk av kaffet. Mamma log hänfört, nickade uppmuntrande, rörde om i kaffet och kom med beundrande hummanden då och då. Moster Margareta tjattrade vitt och brett och bara om Marcel, som om han vore Guds gåva till mänskligheten.

Bullen växte i munnen. För varje ord krympte jag. Plötsligt

vände min moster sig mot mig. Som om hon just upptäckt att jag var närvarande i rummet.

– *Och du då, har du nån tjej?*

Frågan kom så oväntat att det tog en stund innan jag fann mig, skakade på huvudet.

Jag ville sugas in i den gröna vävtapeten. Slukas upp.

I bilen på vägen hem fortsatte mamma orerandet över Marcels förträfflighet.

– *Och tänk, Margareta berättade att han redan börjat raka sig,* utbrast hon. *Han måste till och med göra det varje dag!*

Jag sa inget.

Inget av mina syskon heller.

egnet öste ner så Knutas körde sin gamla, rossliga Mer-
ca till jobbet. Fortfarande hade han inte lyckats skilja
sig ifrån den, trots Lines påtryckningar. Hon fick ta
den nya bilen, antagligen ville hon inte promenera om oväd-
ret höll i sig. Han erinrade sig att hon berättat att de hade ätit
lasagne kvällen före, hur GI-vänligt var det? Han smålog för
sig själv. Det var alltid samma sak med Line. Hon började
entusiastiskt och storstilat varje gång hon bestämde sig för
att gå ner i vikt. Skaffade alla program och motionsredskap
och fyllde kylen med nyttig mat. Det brukade hålla i max
två veckor.

När han klev in till spaningsledningsmötet var han ivrig att
få komma igång.
   – God morgon allihop, började han.
   Han hyssjade ner det sedvanliga morgonsorlet genom att
höja handen. Ibland kände han sig som en magister i en skol-
klass. Nu var han angelägen om att berätta vad han kommit
fram till under gårdagskvällen. Han redogjorde i korta drag
för hur han hittat Veronika Hammars ateljé på samma adress
som Viktor Algårds övernattningslya.

126

– Är inte hon typ sextio? insköt Wittberg. Jag trodde att han skulle förlusta sig med en yngre flamma.

– Alla är väl inte som du, retades Karin.

Thomas Wittbergs kvinnoaffärer var många och välkända bland kollegerna. Ofta inbegrep de tjugoåringar som såg upp till Wittberg i hans egenskap av kriminalpolis med windsurfarlook. Karin ansåg att kollegans stil var hopplöst förlegad och brukade fnysa något om åttiotal. Det rörde inte Wittberg i ryggen. Han fortsatte spänna armmusklerna under tajta T-shirtar, besökte regelbundet solariet i kvarteret där han bodde och vägrade envist klippa sina långa blonda lockar.

– Hon är femtiosex år, inflikade Knutas. Viktor var femtiotre. Det skiljer alltså bara tre år mellan dem. Vi fick tag i henne sent i går kväll och i förhör bekräftade hon förhållandet med Viktor Algård. Hon berättade att hon var på festen, men tappade bort honom och gick hem ensam. Vid ett tillfälle under kvällen tänkte de dra sig undan till nedervåningen där kroppen hittades. Viktor gick i förväg, medan Veronika besökte damrummet. Hon blev fördröjd eftersom hon stötte på några bekanta. När hon sedan kom dit var han inte kvar. Hon antog att han tröttnat på att vänta.

– Vad var klockan då?

– Strax efter midnatt, nån gång mellan tolv och halv ett.

– Hon var alltså inne i den avstängda delen, med baren och soffgrupperna? frågade Wittberg.

Knutas nickade bekräftande.

– Såg hon nåt?

– Nej, hon gick visserligen inte in i rummet eftersom det var nedsläckt. Däremot lade hon märke till att en stol var omkullvält.

Åklagare Smittenberg såg brydd ut, nöp sig eftertänksamt i ena örsnibben.

– Då begicks alltså mordet under den stund som Veronika var på toaletten.

– Om det inte är så att det är hon själv som har mördat honom, kontrade Karin förnumstigt.

– Ja, hon har ju hållit sig undan vilket jag tycker är helt obegripligt, sa Wittberg. Vad gav hon för förklaring?

– Att hon greps av panik.

– Knappast trovärdigt, vad hade hon att vara rädd för? Men jag antar att det inte är tillräckligt för att anhålla henne, Birger?

Wittberg vände sig mot åklagaren.

– Nej, det räcker inte. Hon var chockad och uppriven, de hade ett förhållande i största hemlighet och hon ville inte bli inblandad. Betänk dessutom att hon faktiskt är en ganska berömd konstnär. Om inte erkänd så åtminstone välkänd, tillade han torrt. Det gjorde naturligtvis situationen än mer känslig. Omständigheterna är inte tillräckligt graverande för en anhållan.

– Bor hon på Hästgatan eller har hon bara sin ateljé där? frågade Wittberg.

– Nej, hon bor på Tranhusgatan, nere vid Botaniska, sa Knutas.

– Vem är hon egentligen och hur lever hon? Allt jag vet om henne är att hon målar taskiga tavlor.

Knutas tittade ner i sina papper.

– Hon är skild sen många år tillbaka och lever ensam. Fyra vuxna barn. Äldste sonen, Mats, bor i Stockholm. Han har i och för sig inte växt upp med henne. Hon fick honom när hon var väldigt ung och han är uppvuxen hos en fosterfamilj. Sedan har hon Andreas, som är fårbonde ute i Hablingbo. En dotter, Mikaela, har flyttat till Vätö i Stockholms skärgård. Hon driver en ridskola tillsammans med sin man, och den

128

yngste sonen, Simon, bor på Bogegatan här i Visby.

Han avbröts av att Sohlman öppnade dörren. Kriminalteknikern såg uppjagad ut.

– Förlåt att jag är sen. Men matchningen av fingeravtrycken är klar. Veronika Hammars avtryck finns på handtaget till altandörren där kroppen hittades. Alltså den dörr som gärningsmannen antagligen smet ut genom.

Det blev knäpptyst i rummet.

Jakten på Veronika Hammar satte igång omedelbart efter mötet. Snabbt kunde polisen konstatera att hon varken var hemma i lägenheten på Tranhusgatan eller i ateljén på Hästgatan. Hon fanns inte registrerad på någon annan adress så hon söktes via barnen. Den enda de lyckades få tag i var fårbonden Andreas i Hablingbo, som hävdade att han inte hade en aning om var hans mamma kunde vara, men han lovade att ringa så fort han hörde av henne. Sonen Mats var enligt arbetsgivaren på semester på Mallorca, dottern som bodde i Stockholms skärgård befann sig på resa med Röda korset i Latinamerika och var omöjlig att nå. Hennes man berättade dessutom att hon brutit kontakten med sin mamma tio år tidigare. När Karin bett om en förklaring hänvisade han till sin fru, att det måste hon få berätta själv. Den yngste sonen verkade inte heller vara hemma, men ingen visste var han uppehöll sig.

Under tiden gick spaningsledningen igenom Veronika Hammars bekantskapskrets, vilket i och för sig var snabbt gjort. Hon hade två systrar, men båda föräldrarna var döda. Antalet vänner som hon umgicks med tycktes begränsat.

Vid lunchtid kom rättsläkarens preliminära obduktionsrapport på faxen. Den bekräftade att Viktor Algård avlidit till följd av cyanidförgiftning. Såret i pannan hade han troligen åsamkat sig själv. Enligt rättsläkaren orsakades skadan av att han ramlat in i ett av ståborden vid baren. Själva bordsskivan var i betong och Viktors blod fanns på skivan och på golvet under. Hon skrev i rapporten att det var vanligt med kramper vid cyanidförgiftning och att offret av allt att döma hade stapplat runt minuterna före döden och ramlat in i bordet. Dödsögonblicket inträffade någon gång mellan midnatt och klockan sex på morgonen.

Knutas lutade sig bakåt i sin gamla slitna stol, vägde sakta fram och tillbaka. Rapporten bekräftade i stort sett vad de redan visste. Mördaren hade troligen försvunnit ut genom den altandörr som vette mot den lilla tvärgatan. Hur enkelt som helst. Därmed stärktes misstankarna mot Veronika Hammar. Hennes fingeravtryck fanns på handtaget.

Och på våningen precis ovanför hade Knutas själv bekymmerslöst partajat medan mordet begicks. Det var ett svårsmält faktum. Vittnen saknades helt, ingen hade lagt märke till någon person som lämnade byggnaden vid den aktuella tidpunkten, vilket borde ha varit någon gång mellan kvart över tolv och halv ett. Byggnaden var omgiven av kontorshus och Almedalsbiblioteket. Inga bostadshus fanns i kvarteren runt kongresshallen.

Rastlösheten kliade i kroppen. Mycket pekade på att det var Veronika Hammar som var gärningsmannen. Viktor Algård kanske hade tröttnat på förbindelsen och ville gå tillbaka till sin fru, svartsjuka var inget ovanligt skäl för att mörda.

De måste ta reda på mer och framförallt få fatt i människan.

Stranden ute vid Holmhällar på Gotlands sydspets var täckt av kalksten. Det kilometerlånga raukområdet hade en särskild prägel; stenformationerna var massiva och märkligt utformade, de högsta närmare fem meter. Här stod inte raukarna som isolerade stenpelare, utan de satt ihop. De klängde fast vid varandra som för att skydda sig mot vind, fossilletare och turisternas framfart. En bit ut i havet syntes den lilla ön Heligholmen, ett naturreservat som var förbjudet att besöka så här års. Där häckade sjöfåglar i tusental.

Längst nere vid vattnet i början av stranden låg fiskeläget, en samling sjöbodar i sten med flistak. Flera hundra år gamla var de kvarlevor från den tid då öns bönder var tvungna att dryga ut sin försörjning med fiske. Då kom de resande från inlandet, fiskade i några dagar och bodde i de trånga bodarna med endast små fönstergluggar ut mot havet. Det luktade tjära och släke.

Hon vandrade längs stenstranden, aktade sig för att snubbla på rötter och lösa stenar. Havet var grått och det blåste friskt. Ovanför raukområdet höjde sig en vidsträckt platå

med en böljande grässlätt, täckt av våradonis med sina glad-
gula solar till blommor och den mörkt violetta fältsippan.
Några enstaka enbuskar och krokiga småträd märkta av
hårda stormar stretade mot vinden och höll sig envist kvar
i den steniga marken. Landskapet var kargt och ödsligt den
här tiden på året. Inte en människa. Blåsten fick hennes ögon
att tåras. Hon vände bort ansiktet från havet och tittade upp
mot platån ovanför och skogen där bortom.

När hon nått den andra sidan av raukområdet bredde sand-
stranden ut sig. Där brukade hon bada på somrarna. Nu var
vattnet iskallt efter den långa vintern, mörkt och ogästvänligt
böljade det oroligt fram och tillbaka. Hon vände om och vek
upp mot sommarstugeområdet i skogsbrynet. Det bestod av
ett tiotal stugor, utspridda över en ganska stor yta på behö-
rigt avstånd från varandra. Pensionatet en bit bort var stängt
för säsongen och de övriga stugorna tomma på folk.

Plötsligt ryckte hon till av ett prassel i gräset alldeles bak-
om. Ett ögonblick av iskall rädsla innan hon förstod att det
bara var en kanin som pilade förbi. Hon följde den med blick-
en och såg hur den försvann ner i en håla. Hennes nerver var
på helspänn. Det var disigt och fuktigt i luften, skymningen
började tätna omkring henne. Ett streck svanar flög förbi på
den mörka himlen. Ur deras långa halsar kom utdragna skri-
anden. Det lät olycksbådande, tyckte hon. Som dödsskrin.

Hon märkte inte mannen som stod på platån snett ovanför
och iakttog varje rörelse hon gjorde.

Mannen sänkte kikaren från ögonen och började gå i rikt-
ning mot hennes sommarstuga.

Medarbetarna i spaningsledningen ägnade sig i första hand åt sökandet efter Veronika Hammar, men släppte för den sakens skull inte övriga uppslag som fortfarande ansågs intressanta. Knutas ville inte låsa fast sig vid henne som enda möjliga gärningsman. Även om det verkade osannolikt så kunde det finnas en förklaring till att hon uppehållit sig vid brottsplatsen utan att larma polisen. Under sina drygt trettio år i yrket hade han lärt sig att människor kunde bete sig på de mest märkliga, irrationella sätt. Ingenting var egentligen omöjligt.

Därför fortsatte polisen att dra i andra trådar. En av dem var Viktor Algårds tidigare konkurrent Sten Bergström. På grund av ett ryggskott kunde han inte själv komma till polishuset, så Knutas och Karin bestämde sig för att åka hem till honom på tisdagseftermiddagen.

För andra dagen i rad begav de sig ner mot Sudret och Holmhällar. Visserligen hade det gått några år sedan Viktor Algårds värste konkurrent gick i konkurs, men gammalt groll kunde ha kommit upp till ytan.

Bergström bodde ensam på en gård ute på landet, nära Holmhällars raukområde. När de passerat Hamra glesnade bebyggelsen i takt med att landskapet blev kargare. Det blev allt längre mellan gårdarna. Här fanns mest fritidshus så området var ganska ödsligt nu när det inte var säsong. De hade instruerats att ta höger vid avfarten mot Holmhällar, mot Austre. Regnet hade upphört, men molnen låg tunga och det såg ut att kunna börja igen när som helst.

– Här ligger ju bara igenbommade sommarstugor, suckade Karin trött när de passerade det ena övergivna torpet efter det andra. Inte en levande själ.

– Man börjar undra om vi har kört rätt, muttrade Knutas.

Karin kollade kartan.

– Det här är enda avfarten. Sen skulle vi ta höger igen vid en radda med postlådor, mitt emot vägen till stranden. Det ska finnas en skylt.

Knappt hade hon uttalat orden förrän de var framme. Sten Bergström hade låtit förvånad när Karin hade ringt föregående dag, men han hade varit vänlig och tillmötesgående. Han bodde i en vit trävilla i två våningar som definitivt sett bättre dagar. Några skamfilade uthus och ett garage utan dörr som mest verkade innehålla bråte stod på tomten, liksom en rostig gammal bil. På motorhuven satt en svart katt och iakttog dem.

De ringde på, men klockan verkade inte fungera. Knutas knackade hårt på dörren. Inget hände. De avvaktade en stund. Knutas knackade igen. Karin gick runt huset. Tydligen var ingen hemma. Plötsligt hördes ett hundskall utifrån vägen. Där kom en lång, gänglig man gående, framåtböjd med krökt rygg. Det syntes att han hade ont. Han var klädd i en vindtygsjacka, keps på huvudet och gummistövlar. Bredvid

135

honom travade en högrest, tjusig afghanhund med vacker guldfärgad päls. Mannen på vägen höjde handen till hälsning.

– Förlåt mig, jag visste inte att ni skulle komma så tidigt. Har ni väntat länge?

Han sträckte fram handen. Hunden betraktade avvaktande poliserna utan att visa någon antydan till att vilja hälsa.

– Ingen fara, sa Knutas. Vi kom just.

Sten Bergström gick före in i huset och visade in dem i en salong med ett stort burspråk mot trädgården. Trägolven var slitna och saknade mattor, inga gardiner fanns för fönstren. Möblemanget var sparsamt, men möblerna var gedigna och såg ut att ha köpts in på någon av de otaliga gårdsauktioner som hölls med jämna mellanrum runt om på ön. Sten Bergström bjöd på kaffe och hembakad sockerkaka. Knutas och Karin slog sig ned i kökssoffan, men Sten Bergström förblev stående. Hans onda rygg hindrade honom från att sitta, förklarade han ursäktande.

Knutas hade svårt att få ihop bilden av Sten Bergström. Å ena sidan bodde karln ruffigt och enkelt, å den andra utstrålade hans person stil och elegans. Den randiga skjortan och de ljusa bomullsbyxorna var rena och nystrukna, hemmet välstädat och prydligt. Hunden skulle ha platsat på omslaget till "Slott och herrgårdar" med någon greve eller baron som höll i kopplet.

– Vi är alltså här med anledning av mordet på Viktor Algård, började Knutas när kaffet var upphällt och han hade en bit sockerkaka på ett fat framför sig. Det kanske verkar underligt att vi vill prata med dig, men vi går bakåt i tiden och kontrollerar allt som kan ge oss ledtrådar till mordet, även om det kan verka långsökt.

– Javisst. Sten Bergström smålog, lutad mot dörrposten.
Jag förstår.

– När hade du senast kontakt med honom? frågade Karin.

– Det är flera år sen.

– Vad hade ni för relation?

– Det är ingen hemlighet att vi var bittra fiender. Han ruinerade mig och försatte mig i konkurs.

– Hur gick det till?

– Jag började arrangera fester i mindre skala för en sisådär fem, sex år sen. Det slog väldigt väl ut och jag startade ett företag. Första konflikten vi hade uppstod om namnet, jag kallade min rörelse för "Goal Gotland" eftersom jag hade planer på att inte bara arrangera inhemska fester utan även locka över klienter hit till ön för att gifta sig, ordna födelsedagskalas och så vidare. Vi har ju en faslig massa fastlänningar som bor här på somrarna. Viktor ansåg att namnet påminde för mycket om hans eget firmanamn, därför drog han igång en rättslig process. Men det slaget förlorade han, det fanns inget han kunde göra åt saken. Hur som haver så fortsatte jag med mina arrangemang och tog så småningom över en ansenlig del av hans kundkrets.

– Hur kommer det sig?

– Jag tror inte de var missnöjda med hans insatser, det fanns nog ingen anledning. Han var högst professionell. Däremot var han synnerligen uppbokad under en period och det skapades ett behov av flera festarrangörer. Den luckan fyllde jag. Därtill var mina priser lägre, så flera valde mig i stället och sedan fortsatte de att kontakta mig när de behövde hjälp. Det blev ungefär som när man byter frisör. Har inte den egna frisören tid, så prövar man en ny. Blir man då nöjd finns ju ingen anledning att gå tillbaka till sin gamla. Människan är påfallande illojal när det kommer till kritan, sa Bergström eftertänksamt och rörde om sockret i kaffekoppen han höll i handen. Han släppte inte poliserna med blicken utan den vandrade hela tiden vänligt intresserat mellan Karin och Knutas.

– Vad hade ni för kontakt?

– Ingen personlig. Endast per telefon och brev. Han beskyllde mig för att ha stulit hans kunder. Han skrek och for an i telefonen och jag är ledsen att säga det, men han var riktigt ohyfsad. Jag gjorde mitt bästa för att förklara för honom att personerna hade sökt upp mig på eget initiativ och att om klienter föredrar mina tjänster så är det inte mycket jag kan göra åt saken. Men Viktor ville inte lyssna på det örat. Han var riktigt oresonlig, faktiskt. Jag tyckte att hans agerande var smått onödigt, han hade onekligen fler kunder än han hann med.

Karin log i mjugg. Sten Bergström var så malplacerad i det skamfilade huset, långt ute i ödemarken. Han hade ett högtravande sätt att tala och förde sig som en adelsman. Han borde ha hetat von Knorring eller Silfversparre, tänkte hon.

– Vad gjorde du?

– Ingenting. Jag lät honom bråka och kontakta olika myndigheter, medan jag fortsatte med mitt. Och han kom inte åt mig, vilket säkert gjorde den stackars karln ännu mer tillintetgjord.

– Hur kommer det sig då att ditt företag gick i konkurs?

Sten Bergström fick ett bedrövat uttryck i ansiktet.

– Det var några fester som urartade. Det blev för mycket otrevligheter med fylleri och bråk. Jag fick dåligt rykte, folk började prata bakom ryggen på mig. Kunderna svek, jag fick färre och färre uppdrag och till sist barkade det käpprätt åt skogen. Det skulle inte förvåna mig om Viktor låg bakom.

Men jag saknade kraft att ta tag i det där. För övrigt tappade jag lusten när jag inte längre åtnjöt kundernas förtroende.

Plötsligt såg Sten Bergström plågad ut.

– Jag måste dessvärre lägga mig ner, är jag rädd, kved han. Det här går inte längre. Är det nåt mer ni vill veta just nu?

Han tog sig för ryggen och vacklade mödosamt ner på knä. Hunden gnällde.

– Ursäkta mig. Skulle nån av er kunna dra fram en stol?

Förvånad iakttog Karin den elegante mannen som lade sig ner på golvet och höll upp benen. Knutas hjälpte honom att placera dem i nittio graders vinkel. Han visste precis vad det handlade om. Line hade lidit av ryggbesvär med jämna mellanrum under alla år.

Hunden slickade husse ivrigt i ansiktet, märkbart glad över att få ner honom på golvet. Sten Bergström var inte lika förtjust. Han beordrade plats och jycken lomade genast bort till sin korg och lade sig tillrätta med en uppgiven suck.

– Vi får tacka så mycket för den här gången, sa Knutas. Vi hör av oss om det är nåt.

– Det var så lite, sa Sten Bergström matt. Han blundade. Adjö.

Hunden glodde efter dem när de stängde dörren.

Hela tisdagen gick utan att de fick tag på Veronika Hammar. När klockan närmade sig halv sju på kvällen och Knutas insåg att han varit på jobbet i tolv timmar gav han upp.

Det fanns inget mer han kunde göra och dessutom hade han lovat att ta hand om middagen. Line arbetade återigen nattpass på lasarettet och skulle inte komma hem förrän på morgonkvisten. Han stannade och köpte pizzor på vägen. Barnen hade önskat varsin pizza med fläskfilé och bearnaisesås. Han rös när han uttalade beställningen. Hur kunde man bara komma på en sådan kombination? Snart serveras väl pizza med räkor och sötsur sås, tänkte han. Eller thaipizza med kyckling och rödcurry. Varför inte efterrättspizza med saffran i degen, toppad med mandlar och russin?

När han klev in genom dörren till villan kände han genast på sig att något hänt. Det var mörkt och nedsläckt.

– Hallå, ropade han i hallen. Inget svar. Han ställde ifrån sig kartongerna och gick upp på övervåningen.

– Hallå, ropade han igen. Är det nån hemma?

Han öppnade dörren till Petras rum. Det enda som lyste upp mörkret i rummet var ett par tjocka doftljus på en bricka på nattduksbordet, några stickor med rökelse stod i en porslinskruka och spred en tung doft av mysk. På datorn flimrade bilder på lättklädda ungdomar med Manhattans skyline i bakgrunden och obegriplig hiphopmusik dunkade mellan väggarna. Dottern låg på sängen med benen uppsträckta och lutade mot väggen, blicken i taket och pratade i mobilen.

– Tyst, hyssjade hon och viftade irriterat att han skulle lämna rummet.

– Vi ska äta...

– TYST!

Han sköt igen dörren och försökte sig modstulet på nästa rum. Där inne var det totalt beckmörker, men han hörde skramlet av hårdrock från sonens iPod.

– Hej, sa han och tände taklampan. Vad gör du?

Nils vände sig snabbt om mot väggen, men Knutas hann se att han var rödögd och det såg ut som om han gråtit.

– Vad är det?

Han tog några steg fram mot sängen.

– Inget.

– Men jag ser ju att du är ledsen.

Han satte sig försiktigt ytterst på sängen, men Nils hade ryggen till och kröp ännu längre in mot väggen.

– Vad är det?

– Inget, sa jag. Lägg av. Gå ut härifrån.

– Men Nils. Knutas strök försiktigt sin son över huvudet. Kan du inte berätta vad det är som...

– Sluta. Han tog tag i Knutas hand och föste undan den. Lämna mig i fred, fräste han med sin spruckna målbrottsröst.

141

– Men jag har köpt pizza.

– Jag kommer snart. Gå nu, bad pojken i något mindre aggressiv ton.

Fylld av vanmakt lämnade Knutas rummet. Undanskuffad igen. Bortmotad. Det fanns ingenting han kunde göra. Han kunde knappast tvinga Nils att öppna sig för honom om han inte ville. Sådant byggde på förtroende.

Bedrövad dukade han fram. Han som var så kraftfull och beslutsam på jobbet förvandlades till en ynklig stackare inför sina tonårsbarn. Han visste helt enkelt inte hur han skulle hantera dem. Samtidigt kände han sig sårad och ledsen. Tycker de inte om mig? tänkte han.

Det knarrade i trappan. Petra kom ner i köket. Som om hon kände på sig hans belägenhet gav hon honom en lätt kram.

– Förlåt, pappa, men jag satt i telefon och det var ett väldigt känsligt samtal.

– Nåt du kan berätta? frågade han försiktigt, uppmuntrad av den smula tillgivenhet han för en gångs skull fick sig tilldelad.

– Alexander är död.

– Vad är det du säger?

Ett isande hugg i mellangärdet. Knutas stirrade oförstående på sin dotter. Långsamt sjönk det in att det hon sa var sant. Allt hopp var ute. Sedan frågor, tumlande som en centrifug i hjärnan. Tankarna gick omedelbart till Alexanders mamma Ingrid och syster Olivia.

– Jag pratade just med Olivia, sa Petra, blank i ögonen. De har precis fått veta det. Hon är helt förstörd. Jag har lovat att komma över till henne efter maten.

– Är ni såna bra kompisar?

– Vi har blivit det nu, de senaste veckorna. Efter att det där hände.

Återigen fläktade insikten förbi, hur försvinnande lite han kände till om sina barn numera.

Nils anslöt sig.

– Vet du vad som har hänt? frågade Knutas. Att Alexander är död?

Nils och hans syster växlade blickar.

– Ja, sa Nils utan att se på sin far.

De åt under tystnad. Knutas visste inte vad han skulle säga förutom att konstatera att det var förfärligt och att han led med Alexanders mamma och syster.

Fallet var i stort sett utrett, tre sextonåriga pojkar satt häktade, misstänkta för grov misshandel. Nu skulle åtalspunkten ändras. Samtliga nekade, men bevisningen var stark. Alexanders blod hade hittats på deras kläder och skor, och ett par av alla vittnen som funnits på plats hade vågat peka ut dem.

Det var inte bara det att misshandelsfallen hade blivit fler och grövre och gick allt längre ner i åldrarna, tänkte Knutas dystert. Människor var allt mindre benägna att vittna. Utvecklingen var skrämmande.

Efter maten reste sig båda barnen och gick ut i hallen för att sätta på sig skorna.

– Ska ni gå båda två? frågade Knutas medan han fyllde diskmaskinen.

– Ja, svarade de i kör.

– Vart ska du då? frågade han Nils.

– Han ska också med hem till Olivia, sa Petra innan brodern hann svara.

– Varför då?

143

– Men pappa... sa Petra, gav honom en medlidsam blick
och skakade på huvudet.

Dörren slog igen.

Knutas drog ett djupt andetag, satte sig vid köksbordet och
knappade in Ingrid Almlövs nummer.

imhallen var folktom när Knutas kom dit morgonen därpå. Han var där redan halv sju när de öppnade och den första kvarten fick han åtnjuta lyxen av att ha hela bassängen för sig själv.

Ingenting fick honom att koppla av så mycket som att simma. Längd efter längd arbetade han sig framåt, kroppen rörde sig mekaniskt som om den vore robotstyrd. Hjärnan klarnade i det stilla vattnet, i tystnaden när huvudet försvann under ytan. Beskedet om Alexanders död hade tillfälligt knuffat undan bryderierna kring mordutredningen. Han kunde inte ens försöka föreställa sig hur det skulle vara att förlora ett barn. Tänk om samma sak hänt med Nils eller Petra? Han förmådde knappt avsluta tanken. Vi måste ta vara på varandra, tänkte han. Medan vi finns. Plötsligt kan allt vara förändrat.

Han hade talat länge med Alexanders mamma Ingrid i telefonen under gårdagskvällen. Båda hans barn hade sovit över hemma hos Almlövs, funnits där framförallt för Olivia. Det gladde honom att de brydde sig. Att de hade en empatisk förmåga. I samma veva hade han drabbats av dåligt samvete

145

för att han försummat Ingrid de senaste åren. Han hade inte hört av sig, förutom precis efter händelserna som ledde fram till hennes makes död, sedan hade livet rullat på. Och nu var Alexander också borta.

Han vände vid kanten och insåg att han tappat räkningen på antalet längder. Strunt samma, han höll koll på klockan. En halvtimme fick räcka. Två äldre damer i badmössa dök upp vid bassängkanten och klev med ostadiga, gropiga ben nerför stegen. Ojade sig och fnissade innan de sjönk ner i vattnet och till hans lättnad valde banorna längst bort från honom.

Tankarna gick till Veronika Hammar. Fanns hon fortfarande kvar på ön? Han förbannade sig själv för att de inte behållit henne direkt efter det första förhöret. Hon hade haft en väl klen förklaring till att hon höll sig undan från början.

Bevisligen hade hon även varit på brottsplatsen utan att säga något om det i förhöret. Veronika Hammar kunde mycket väl vara skyldig till mordet. Nu gällde det bara att gripa henne.

Johan satt på redaktionen med en dov tyngd i magen. De senaste dagarna hade han varit så upptagen av mordet i kongresshallen att han lagt misshandelsfallet åt sidan. När han fick dödsbeskedet blev han iskall inombords, hjärtat snörptes ihop. Sextonåringen hade mist livet på grund av en helt meningslös dispyt, en skitsak. Några få ynka sekunder hade satt stopp för hans framtid, ödelagt hans familjs liv. Allt handlade om några sparkar mot huvudet. Det var ofattbart.

I den stunden bestämde sig Johan för att satsa allt på den serie reportage han och Pia planerat för att skildra ungdomsvåldet som det såg ut just nu, dess orsaker och konsekvenser och vad som gjordes för att stävja utvecklingen. Under dagen förväntades de leverera ett nyhetsinslag eftersom Alexander avlidit, parallellt med uppföljningen av mordet på Algård. Just nu kändes fallet med dödsmisshandeln mest angeläget.

Han väcktes ur sina sorgsna tankar av att Pia kom. Hon sa inget, klappade honom bara tröstande på axeln när hon gick förbi med ögonen på datorn.

De drack kaffe och pratade om misshandelsfallet.

Alexander hade gått första året på Rickard Steffengymnasiet i Visby. De bestämde sig för att börja där.

När de kom fram vajade flaggorna på halv stång i vårsolen. I telefonen hade rektorn berättat för Johan att skolan inte skulle hålla några vanliga lektioner under dagen utan i stället ägna sig åt att prata om Alexander. Klockan elva var det minnesstund i aulan. De hann precis i tid. Aulan var fylld till sista plats. Det var tydligt att inte bara elever, lärare och annan skolpersonal hade samlats utan även föräldrar och syskon. Pia och Johan fick ståplatser längst bak. Överraskande otraditionellt var det inte rektorn som började prata. När ljusen släckts i aulan och bara en strålkastare var riktad mot scenen stod en ensam tonårsflicka där. Tanig med jeans, svart linne under den rosa munkjackan och långt, mörkt hår som hängde ner på axlarna. Håren reste sig på Johans armar när hon inledde med orden:

– Min bror är död.

Sedan berättade Olivia Almlöv med låg, kontrollerad röst om sin bror Alexander och vad han hade betytt för henne. Hur de växt upp tillsammans, saker de gjort, små triviala vardagshändelser. Alexanders intressen och framtidsdrömmar. Hur de förberett sig för festen den där fredagskvällen, vad de hade pratat om och vad de gjorde när de kom dit. Alexander hade dansat med en tjej som han var intresserad av. Han smygrökte och det sista hon såg av honom var när han gick ut med ett par kompisar för att ta ett bloss.

Han kom aldrig tillbaka.

En halvtimme senare såg hon sin bror ligga sönderslagen till oigenkännlighet i en blodpöl på marken.

Så slutade Alexander sina dagar och hennes eget liv skulle aldrig bli sig likt.

Ingen i salen lämnades oberörd och här och där hördes

snyftningar i bänkraderna.

Efteråt talade rektorn om betydelsen av att inte låta Alexanders liv ha gått till spillo i onödan. Om vikten av att låta detta bli en väckarklocka, både för ungdomar, föräldrar och samhället i stort.

Både Johan och Pia var djupt berörda efteråt.

– Vi måste snacka med föräldrar, föreslog Johan. Man har ju inte hört nånting från dem än så länge.

– Visst. Det där ser ut att vara några.

Pia nickade åt ett medelålders par som hand i hand lämnade aulan.

Johan knackade mannen försiktigt på axeln och presenterade sig.

– Varför är ni här? började han.

Mannen svarade.

– Därför att vår son blev vittne till misshandeln och vi vill visa vårt stöd. Till Alexanders familj, men även till dem som slog och deras familjer. De är också offer.

– Hur då?

– Vem vinner på det här? Ingen. Alla är förlorare. Vad handlar detta om – egentligen? Några futtiga sekunder blir livsavgörande för en massa människor. En uppblossad vrede, ett argsint ord, en obscen gest, ett giftigt ögonkast. När jag var i den åldern avgjordes såna saker med knytnävarna, i värsta fall blev det slagsmål och så slutade man när det uppstod blodvite eller när motparten segnade ihop på marken. Hur är det i dag? Här fortsätter man att sparka en människa som ligger – i huvudet!! Flera stycken kan slå på en medvetslös person. Vad är det som gör att det inte finns några spärrar längre? Att ungdomar inte tycker att en människas liv är värt nåt? Att de tar sig rätten att slå ihjäl en annan person bara för att de känner sig förolämpade eller kränkta? Varför bär

149

våra barn på så mycket ilska? Var kommer den ifrån? Det är såna frågor vi måste ställa oss.

Johan höll tyst fram mikrofonen medan Pia filmade. De stod utanför aulan på skolgården och fler och fler som hört mannens brandtal stannade upp. En folksamling började bildas omkring dem.

Mannen fortsatte:

– Och det är inte så enkelt att man bara kan skylla på våldsamma dataspel och brutalitet på TV och film. Visst trubbar det av en del, men det är inte där kärnproblemet sitter. Det handlar om samhällsstrukturen. De vuxna arbetar för mycket, är för stressade och hinner inte med barnen på samma sätt som förr. Och missförstå mig inte, jag vill inte tvinga tillbaka kvinnorna till spisen, men alla föräldrar, både kvinnor och män, behöver mera tid för sina barn. Barnen lämnas alltför ofta vind för våg, de tvingas klara sig för mycket själva. Och se vad som händer.

Han slog ut med båda armarna i en hjälplös gest, tystnade och skakade på huvudet. Sedan gick han raka vägen genom folkhopen och bort över asfalten.

Johan sänkte sakta handen med mikrofonen, följde mannen med blicken och hans fru som skyndade efter. Människorna runt omkring skruvade på sig, vissa dröp av. Några stod kvar som om de inte riktigt visste vad de skulle göra. Jag måste ringa Grenfors, tänkte Johan. Vi borde ha en studiogäst på det här, kanske flera. Han avbröts av att någon knackade honom på axeln. Frågande tittade han upp och såg en ung, gänglig tonårskille med rött lockigt hår, fjunig överläpp och finnig hy.

– Är det du som är Johan Berg?

Han nickade bekräftande.

– Jag tror du känner min farsa. Jag heter Nils Knutas.

Jag cyklade alltid hem från skolan. Även på vintern, när snön låg i drivor. Den här dagen i mars hade det mesta smält undan, krokus och snödroppar tittade fram vid vägkanten. Vår klass fick gå hem tidigare eftersom slöjdläraren var sjuk och vi skulle ha avslutat dagen med en dubbellektion. Lättnad.

Som vanligt skyndade jag till skåpet, fick ut min ryggsäck och lämnade skolbyggnaden först av alla. Utan att se mig omkring gick jag till cykelstället, låste upp cykeln. Upptäckte till min förfäran att jag hade glömt engelskaboken. Den måste jag ta hem, eftersom vi hade prov nästa dag. Jävla skit. Det sista jag ville var att tvingas gå in igen.

När jag kom tillbaka till uppehållsrummet där vi hade våra skåp var Steffe och Biffen där. De stod och snackade med några tjejer i parallellklassen. Alla vände sig mot mig. Jag undvek deras blickar och gick raka vägen till skåpet, fumlade med nycklarna. Till min förskräckelse tappade jag knippan med en skräll i golvet. Blixtsnabbt var Steffe där, hann naturligtvis före. Han viftade med den i luften. Skrammel, skrammel. *Ta den om du kan.* Han flinade elakt och den tjocka prillan han hade tryckt in under läppen rann i svarta rännilar mellan tänderna.

Spridda garv från de andra, kommentarer om lillkillen, tönten. Mina kinder hettade, öronen glödde. I vanliga fall såg de mig inte. Brydde sig inte. Jag föredrog det. Min mun var torr, fick inte ur mig ett ord. Avvaktade. Vift, vift. Nyckelknippan oåtkomlig framför näsan. Jag höjde handen, försökte gripa efter den. Steffe som var två huvuden högre tog några steg bakåt. Började röra sig i cirklar runt mig. *Komsi, komsi.* De andra närmade sig, bildade klunga. Jag måste ha nycklarna. I ögonvrån såg jag en lärare borta i korridoren. Han hastade bara förbi.

Steffe höll knippan ovanför mitt huvud. Skramlet ekade mellan de tomma väggarna när han svängde den fram och tillbaka. Kroppen blytung, mina rörelser fumliga när jag gjorde flera fruktlösa försök att fånga den. Tjejerna fnittrade. *Kolla hans öron. Vilken jävla vingmutter.*

Svoosch när knippan singlade förbi, försvann bakom mig och ner i en papperskorg. *Hämta den då, din amöba. Ditt värdelösa lilla kryp.* Jag sprang fram till papperskorgen. Där låg knippan i en sörja av bananskal, snusloskor och uttjänta tuggummin. Jag sträckte mig efter den.

I samma sekund var Biffen och Steffe över mig, tryckte ner min skalle. Sidan av plåt skar in i halsen, ansiktet pressades ner, lukten av sopor i näsborrarna. Jag försökte vända bort huvudet men kunde inte rubba mig en millimeter. Satt fastkilad som i ett skruvstäd. Panik, omöjligt att andas. *Ditt jävla pucko, cp, apbarn.*

Tjejernas röster bakom. *Lägg av nu, låt honom gå. Ta dina förbannade nycklar så du kan springa hem till morsan. Pissa inte på dig bara.* En sista tryckning innan de släppte taget. *Satans missfoster.*

152

Benen skakade när jag cyklade hem. Jag stängde in gråten. Ville aldrig gå tillbaka. Ville ta livet av mig. En stor lastbil kom dundrande på stora vägen. Jag övervägde under några sekunder att cykla framför den, rätt ut i gatan. Vad som helst för att slippa återvända till skolan. Fly skiten. Mitt värdelösa liv.

När jag parkerat cykeln på baksidan och låst upp dörren hörde jag omedelbart hulkningarna. Jag gick in i vardagsrummet och där satt hon. I ena hörnet, med benen uppdragna under sig och grät.

– Vad är det, mamma? frågade jag. Har det hänt nåt?

Även om jag mycket väl visste svaret. Det hade aldrig hänt något. Hon grinade i alla fall. Hittade alltid nya saker att gråta över, nya problem. En propp kunde gå, ett glas fara i golvet eller bilen vägra starta. En räkning som var högre än hon väntat sig, mat som brändes vid eller att hon tappat bort sina nycklar. Vardagens förtretligheter var oändliga. Och alltid innebar de samma katastrof. Ingenting fick gå fel.

Hennes gråt hade jag fått leva med hela livet. Mitt innanmäte var en behållare, fylld av hennes tårar. Från det att jag tog första klivet ur sängen på morgonen var jag medveten om hur de skvalpade runt därinne. Jag visste inte vad jag skulle ta mig till den dagen det rann över.

– *Nej*, kved hon. *Jag är bara så ledsen.*

En tjock klump i magen, den svarta gardinen drogs ner framför ögonen.

Försiktigt närmade jag mig. Hon luktade parfym och lite instängt, en fadd doft. Ansiktet var vått, svullet och rödflammigt. Hon såg grotesk ut.

– *Kom min pojke, trösta mamma.*

Rösten var gnällig.

Jag böjde på nacken, undvek att möta hennes blick. Hon

153

sträckte ut armarna mot mig, drog mig intill sig. Som vanligt visste jag inte vad jag skulle säga för att få henne att sluta. Hittade inga ord. Hon snorade och snörvlade, hennes tårar rann ner på min tröja.

– *Usch, det är så hemskt. Jag har det så jobbigt, förstår du. Det är inte lätt att vara ensam mamma. Jag är så ensam. Måste klara allting själv. Jag orkar inte längre.*

Hon grät högt, ylade och kved, gjorde inget för att behärska sig inför mig.

Jag fylldes av både obehag och medömkan, visste varken vad jag skulle känna eller säga.

– Såja, mamma. Du har ju oss, försökte jag.

– *Ja, det är tur det,* snyftade hon. *Vad skulle jag göra utan er? Jag skulle gå under. Ni är det enda jag lever för.*

Hon såg inte mitt blåmärke i pannan, kände inte lukten av ruttet bananskal i mitt hår.

Hon hade nog med sitt.

Alexander Almlövs död vred fokus från mordutredningen under onsdagen.

Även om det inte var Knutas som hade hand om misshandelsfallet drog ändå journalisterna i honom eftersom det var han som var högst ansvarig för kriminalpolisen. Historien som låg bakom med Alexanders pappas och Knutas nära vänskap minskade inte direkt intresset. Hela förmiddagen satt han upptagen i telefonen.

Parallellt snurrade frågan i bakhuvudet om det var så att motivet till mordet på Viktor Algård fanns att hitta i fallet kring Alexander. Förhören från krogen hade inte gett mycket, förutom att det borde finnas flera vittnen som hade sett misshandeln, men som ännu inte gett sig tillkänna.

Kunde det förhålla sig så att någon i Alexanders närhet hade utkrävt hämnd på klubbägaren? Åtskilliga gånger hade Knutas sett Algård uttala sig i medierna när han fick frågan om sitt eget ansvar för stöket bland ungdomarna. Varje gång hade han bara viftat undan kritiken. Sådant kunde reta gallfeber på folk. Kanske var det någon som till sist hade fått nog.

Fortfarande hade han själv inte besökt klubben efter då-
det. Han måste se till att få det gjort snarast. Kanske redan
under eftermiddagen.

Han gick igenom det senaste med Rylander från Rikskrim.
Den skinntorre kommissarien vek in sin gängliga kropp och
tog plats på andra sidan skrivbordet med en bunt papper i en
tjock mapp som han placerade framför sig.

– Ja du, det är inte lätt, det här. Så jäkla mycket folk in-
blandade.

– Jag förstår, sa Knutas deltagande. Vi har två mord, i och
för sig vitt skilda, men som har begåtts i öppen dager mitt
bland en massa festande människor. Det är väl bland det
svåraste som finns, att förhöra folk som har varit mer eller
mindre berusade vid brottstillfället.

– Verkligen, höll Rylander med. Konstigt vore det annars.
Och de förhör som har gjorts än så länge leder oss knappast
vidare. Det mest intressanta tycker jag är detta.

Han plockade fram några papper ur mappen.

– En av Algårds närmaste medarbetare, barchefen Rolf
Lewin, befann sig även på invigningen av kongresshallen.
Han hjälpte till i baren.

– Jaså?

– Egentligen kanske det inte är särskilt märkligt. Viktor
brukade använda sig av samma krogpersonal vid olika till-
fällen. Men det visade sig i förhöret att han och Viktor var
oense om både det ena och det andra. Det är kanske värt att
prata med den här barchefen igen.

– Vad vet du mer om honom?

– Typisk övervintrad rockare om du vill ha min fördoms-
fulla syn utan omskrivningar. Lever ensam i en tvåa i Visby,
ogift utan barn. Han är i fyrtiofemårsåldern med spretigt
hår som står åt alla håll, ring i örat och cigg i mungipan.

Blodkärlen på näsan vittnar om ett och annat glas för mycket.

– Okej, jag kanske ska ta och träffa honom, mumlade Knutas. Nåt annat?

– Inte mycket. De två vakterna har i och för sig inte ett fläckfritt förflutet, men det finns inget som talar för att de skulle vara inblandade i mordet på Viktor Algård. Båda har dessutom vattentäta alibin.

– Det vill säga?

– De var hemma med fru och barn på lördagskvällen och ingen av dem stack näsan utanför dörren.

När de var klara hade klockan hunnit bli ett och Knutas mage kurrade. Morgonens simtur bidrog till att han var extra hungrig. Han knackade på hos Karin och frågade om hon hade lust att gå med ut och äta lunch. Han behövde luft och ville sträcka på benen. Den slamriga personalmatsalen kändes inte som ett lockande alternativ.

Det fanns inte många lunchställen att välja på i Visby under vintern, men ett trevligt ställe var Café Ringduvan, som låg jämte Österport. De beställde varsin dagens rätt vid disken och slog sig sedan ner vid ett av uteborden. Solen värmde. Karin tände en cigarett.

– Röker du nu igen? frågade Knutas.

– Ska du säga, med din pipa.

– Jag tänder den aldrig.

– Det gör du visst.

Han var medveten om att Karin bara rökte när hon var bekymrad över något.

– Häromdan sa du att du skulle berätta vad som tyngde dig vid ett annat tillfälle. Är det ett sånt nu?

– Definitivt inte. Vi behöver snacka jobb. Förresten vet jag

157

ärligt talat inte om jag nånsin kan prata med dig om det här problemet. Det är för stort.

Knutas lade sin hand över hennes.

– Jag är din vän, Karin. Glöm inte det.

– Hur stor är din vänskap?

Han tittade undrande på henne, förvånad över frågan.

– Den är mycket stor. Säkert större än du kan ana.

– Okej. Jag ska tänka på saken.

– Gör det. Knutas suckade. Det känns som om vi står och stampar. Alltså med mordutredningen, förtydligade han, så att hon inte skulle tro att han pratade om honom och henne. Vilket han i och för sig gjorde.

– Ja, höll Karin med. Utredningen om misshandeln har inte gett nåt särskilt än. Det finns ingenting som tyder på att den skulle ha med mordet att göra. Men det är fruktansvärt att killen dog.

– Jag tänker på hans stackars mamma, Ingrid. Jag pratade med henne i går kväll. Hon var naturligtvis alldeles ifrån sig. Det måste vara det absolut värsta som han hända en människa, att mista sitt barn.

Knutas skakade på huvudet. Tog en klunk av lättölen och såg på Karin. Hon stirrade tomt framför sig.

– Vad är det?

– Jag mår inte bra. Måste gå på toa.

Hon släckte cigaretten, reste sig ostadigt och försvann in. Knutas följde henne bekymrat med blicken.

okalen som inhyste ungdomsdiskoteket Solo Club låg i utkanten av hamnområdet, insprängd mellan en familjerestaurang och en cykeluthyrning. Knutas hade stämt möte med barchefen klockan tre, men var lite tidig. Bartendern bjöd på kaffe och bad honom slå sig ner och vänta.

Efter några minuter dök Rolf Lewin upp. Han stämde väl in på Rylanders beskrivning. Lång och pojkaktig i kroppen, med färgat hår som stod rakt upp, piercat ögonbryn, svart T-shirt med ett trumset i guld tryckt på bröstet, tung halskedja och fötterna instuckna i ett par likadana svarta Converse som Nils hade. Men han hade ett öppet, vänligt ansikte och log när han presenterade sig.

– Vi utreder som du vet mordet på Viktor Algård och med tanke på att en pojke blev misshandlad till döds här strax före mordet, så betraktar vi det som intressant i utredningen.

– Okej, men polisen har redan varit här flera gånger.

Knutas höjde avvärjande handen.

– Jag vet. Nu vill vi höra vad du tror om en möjlig koppling. Har du sett eller hört nåt misstänkt eller har du lagt märke till om nån varit särskilt hatisk mot Viktor Algård?

– Alla gillade Viktor, han var en glad skit. Han ville väl, men fattade inte vad han gav sig in på när han drog igång de här specialkvällarna för de yngre kidsen. Det gick snett. Han vägrade se problemen, bara pengarna han kunde tjäna.

– Och problemen, hur såg Viktor på dem?

– Det har varit stökigt, ända sen starten, det är inget att sticka under stol med. Många var pruttfulla redan när de kom hit, smugglade in sprit eller drack utanför. Vakterna gjorde nog så gott de kunde, men det var omöjligt för oss att hålla koll på allt som hände utanför. Så visst blev det mycket bråk och fylla. Vi hade ju en del tuffa grejer att ta hand om även innan det här med Alexander Almlöv hände, men Viktor viftade bort det. Han trodde att det skulle lugna sig med tiden.

– Vad då för grejer?

– Bråk mellan adrenalinstinna grabbar som fått för mycket i sig, slagsmål. En gång kom en brud och påstod att hon blivit våldtagen inne på toaletten, men ingen tog henne på allvar. Ja, själv jobbade jag inte den kvällen, men jag fick höra det efteråt, skyndade han sig att tillägga och tittade urskuldande på kommissarien.

Knutas rynkade pannan.

– Men saken anmäldes aldrig, våldtäkten menar jag?

Rolf Lewin skakade på huvudet.

– Det låter inte klokt men ingen visste vem hon var. Alltså vad hon hette eller var hon kom ifrån. Hon hade kommit ut här, grinat och snackat med vakterna. Kläderna var i en enda röra och hon hade sår i ansiktet, men hon var rejält packad och försvann med en polare som tröstade henne. Vakterna fick för sig att de bara skulle gå om hörnet och sen komma tillbaka så att de kunde snacka mer med tjejen, men hon visade sig aldrig igen.

– De lät henne alltså bara gå, trots att hon sa att hon blivit våldtagen?

– Tyvärr. Men det är som jag säger, det har varit så stökigt här under de där ungdomskvällarna, vi har ingen koll. Vi klarar helt enkelt inte av det. Jag försökte förklara problemet för Viktor, men han ville som sagt inte höra på det örat. Nu har vi tre såna där kvällar kvar som är bokade sen länge, men efter det får det fanimej vara slut.

– Är det du som har tagit över efter Algård?

– Ja, tills vidare.

– Och du har varit emot de här ungdomskvällarna?

– Inte från början, men snabbt insåg jag att de växte oss över huvudet. Även om vi tjänade bra med stålar på dem så var det inte värt det. Man måste ju tänka på kidsen. Vi har för fan ett ansvar.

– Du och Viktor var alltså oense på den här punkten?

– Det kan man väl säga utan att överdriva.

– När hände incidenten med den våldtagna flickan?

– Det var på lucianatten, för nästan fyra månader sen.

– Och du vet fortfarande inte vem hon är?

– Nej, inte den blekaste.

– Du jobbade ju i baren under invigningen av kongresshallen.

– Det stämmer.

– Varför gjorde du det?

– Det behövdes och jag har inget emot att tjäna lite extra.

– Lade du märke till nåt särskilt under kvällen? Nån person som verkade misstänkt?

– Nej, jag tror inte det.

161

– Det här med att Viktor hade ett förhållande med Veronika Hammar – var det nåt du märkte under festen? Hon var ju också där.

Rolf Lewin ljusnade.

– Ja, faktiskt. De stod tillsammans och pratade i baren. Bara en kort stund. Jag serverade dem till och med.

– Jaså?

– Eller rättare sagt, jag blandade en drink till Veronika Hammar. Jag kommer ihåg det speciellt eftersom det var från en okänd beundrare.

Han himlade med ögonen.

– Hur menar du?

– Ja, det var en kille som kom fram och beställde en alkoholfri strawberry daiquiri som han ville att jag skulle ge till henne.

– Gav du drinken till Veronika?

– Ja.

– Och mannen som köpte den – hur såg han ut?

– Tja, det minns jag knappt. Det var väl inget särskilt med honom. Lång, fyrtioårsåldern, klädd i grå kostym, tror jag, blont lite spretigt hår. Glasögon, hade han, med svarta bågar. Det såg ut som typ Armani.

– Det var ingen du kände igen?

– Nej, jag hade aldrig sett honom förut. Jag tror inte han var härifrån.

– Vad grundar du det på?

– Jag vet inte. En känsla bara.

Med tanke på att Rolf Lewin påstod att han knappt mindes var hans iakttagelseförmåga imponerande, tänkte Knutas, samtidigt som en ny tanke slog rot i huvudet.

– Vilken tid på kvällen var detta?

– Showen på scenen precis hade börjat, så det var nog strax efter midnatt.

– Såg du om hon drack av drinken?

– Jag tror inte det. Hon gav glaset till Viktor. Sen gick han nerför trappan här bakom och hon försvann åt andra hållet. Det var så mycket folk och jag hade händerna fulla så jag tänkte inte mer på det.

– Minns du exakt hur mannen uttryckte sig?

Rolf Lewin såg ut att tänka efter.

– Få se nu, han beställde först drinken utan att säga nåt särskilt. Sen serverade jag honom den och han betalade kontant och gav rätt bra med dricks.

– Försök att komma ihåg exakt, sa Knutas. Lämnade han jämna pengar?

– Herregud, hur fasiken ska jag... Nej, förresten. Nu minns jag. Han betalade med en femhundring, drinken kostade åttiofem kronor och han ville bara ha fyrahundra tillbaka. Så var det. Femton spänn i dricks.

– Och sen?

– Ja, sen när jag gav honom växeln tillbaka så bad han mig att ge drinken till Veronika Hammar.

– Hur långt ifrån varandra befann de sig, alltså Veronika och den främmande mannen?

– De stod på varsin sida av baren, det var kanske tio meter emellan, och en massa folk förstås. Jag sa till Veronika att drinken var från en beundrare, men när jag skulle peka ut honom för henne var killen borta.

Knutas hade lyssnat med stigande intresse. Han hade just insett att bartenderns berättelse innebar att utredningen tog en helt ny och överraskande vändning.

Han tackade för sig och skyndade ut ur restaurangen.

163

Så fort han kom tillbaka till polishuset ropade han in Karin till sitt rum. Han redogjorde för sin teori byggd på vad bartendern just berättat. Karin satt tyst i hans besökssoffa och lyssnade med ett alltmer förvånat uttryck i ansiktet.

– Du menar alltså att mordet på Viktor Algård var ett misstag? Cyaniden var inte avsett för honom?

– Utan för Veronika Hammar. Just det.

Hon slog ut med händerna.

– Vi har varit inne på fel spår hela tiden!

– Mannen som beställde drinken, det är honom vi ska söka.

– Och glaset?

– Hela byggnaden har letats igenom och varenda jäkla papperskorg och skrymsle i området runt omkring kongresshallen. Gärningsmannen tog det förstås med sig.

– Och hur hamnade giftet i drinken?

– Det går blixtsnabbt att tömma en ampull. Det är fråga om sekunder. Det kan han ha gjort medan bartendern var upptagen med att växla femhundringen han betalade med.

– Det här vänder ju upp och ner på alltihop, konstaterade Karin. Det krävs att vi tänker helt nytt.

– Absolut, sa Knutas bistert. Vi måste samla ihop de andra.

Stugan såg inte mycket ut för världen. Typisk sportstuga från sextiotalet med mörkbrun träpanel. En fallfärdig skorsten. Invändigt var den enkelt inredd. Först en trång tambur. På väggen en rad med krokar och där hängde jackor, koftor, olika påsar och väskor. Gummistövlar, träskor och tofflor på golvet. Ett par gångstavar lutade mot väggen i hörnet. Det lilla köket hade ett fönster som vette mot skogsområdet ovanför. Plastmatta på golvet, tapeter med bruna blommor. En laminatbänk, diskho och en spis som såg ut att ha minst trettio år på nacken. Längre in låg sovrummet som var ganska stort med en dubbelsäng, en byrå och fotografier på ett par av barnen på väggarna. Vardagsrummet hade trägolv och en enkel öppen spis. Ett virkat draperi i hörnet skylde en klädkammare. Möblemanget bestod av en soffa, soffbord, en bokhylla och en spinnrock.

Det hade blivit kväll. Hon hade värmt soppa till middag och ätit ett par limpsmörgåsar. Utanför fönstret var det som om en stor lampa hade släckts över Gotland. Det var becksvart. Här ute på landsbygden fanns inga lysen på kvällen, utom månen när vädret var klart. Då kunde den sprida sitt

blåaktiga sken över trädtopparna och fladdermössens vingar
när de flaxade över hennes huvud på väg till och från dasset.
Den här kvällen blev hon sittande kvar vid matbordet efter
avslutad middag. Stirrade in i stearinljusen som brann i en
gjutjärnsstake.

Hela dagen hade hon haft en underlig känsla av att nå-
gon iakttog henne, men förstod inte varifrån den kom. Först
trodde hon att det var katten. Han hade varit borta sedan
morgonen och kom inte när hon ropade. Kanske spanade han
på henne på håll, njöt av att gäcka henne. Lät henne stå där
och ropa i sina enträgna försök att locka honom till sig.

Hon hade flytt hit ut till obygden, trots att hon avskydde
att vara ensam. På sommaren var det ett paradis när de andra
husägarna gav liv åt området och nätterna var ljusa. Ett hel-
vete på vintern, med mörkret, ensamheten och blåsten. Men
det fanns ingen annan utväg. Hon måste fly bort, komma
undan allt som hade med Viktor och polisutredningen att
göra. Folks nyfikna blickar. Som om de visste.

Spänt lyssnade hon efter ljud, men uppfattade inget annat
än havets dån och hur blåsten slet tag i trädkronorna. Vad
var det som satte sig i väggarna och fick henne att känna sig
obehaglig till mods? Kanske hennes egna hjärnspöken.

Hon tittade bort mot dörröppningen till hallen. Reste sig
och kontrollerade ytterdörren, att hon vridit om nyckeln
ordentligt. Jodå, den var låst. Hon blängde misstroget på
den. Vad spelade det egentligen för roll att hon låste? En
någorlunda stark karl kunde säkert sparka in den där pap-
piga dörren hur lätt som helst. Det var bara att inse att hon
var fullkomligt oskyddad, utlämnad åt vem det vara månde
som kunde få för sig att börja utforska stugorna i det ensliga
området.

Hon satte på kaffe och slog på TV:n. "Fråga doktorn"

på tvåan och på kanal ett en repris på en dramaserie hon redan sett. Barnprogram på TV 4. Hon suckade och slog över till tvåan och diskussionen om prostatacancer. Det var åtminstone lite prat och färg i bakgrunden, ett sällskap som nödtorftigt höll de onda tankarna borta. Hon gick ut i köket och hällde upp kaffet. Stannade mitt i rörelsen. Hon hade upptäckt något där ute i det svarta. Som en skugga som drog förbi utanför fönstret. Med ens blev hon obehagligt medveten om att hon rimligtvis borde synas hur tydligt som helst utifrån där hon stod i det upplysta köket. Nervöst trevade hon efter strömbrytaren.

När det blev mörkt inomhus kunde hon se ut bättre. Hon smög fram till det lilla fönstret. Pejlade av tomten från den ena sidan till den andra. Över gräsmattan som var fylld av vissna löv, barr och grenar som fallit under vinterns stormar. Över redskapsboden, lekstugan och utedasset. Ingenting. Hon återvände in i vardagsrummet, släckte alla lampor. Blåste ut ljusen. Om någon rörde sig där ute skulle det i alla fall inte gå att följa hennes minsta rörelse. Hon släckte även i hallen. Huset saknade såväl gardiner som persienner. Hon hade tyckt att persienner var onödigt eftersom hon var där nästan bara på sommaren och då älskade hon att ljuset flödade in i den lilla stugan. Dag som natt. Gardiner samlade bara fukt och dessutom skymde de sikten. Just nu hade hon gett vad som helst för ett par. Hjärtat trummade mot bröstbenet. Vem i all världen var ute efter henne? Hon hade aldrig gjort någon människa illa. Men nu började hon faktiskt undra. Hon stängde av TV:n och lyssnade intensivt. Spände alla sinnen. Allt hon hörde var blåsten. Hon satte sig i soffan i det mörklagda vardagsrummet och väntade. En halvtimme gick, så ytterligare en. Inget hände. Irritationen växte. Skulle hon sitta här som en råtta i bur? Till råga på allt började hon bli förfärligt kissnödig och någon potta ägde hon dessvärre inte. Tanken på att göra ifrån sig i en av matskålarna bjöd henne emot. När ytterligare en halvtimme passerat gav hon upp. Kunde inte hålla sig längre. Dessutom hade ilskan tagit över. Hon tänkte inte låta sig skrämmas i sitt eget hus. Nja, hennes eget var det väl inte riktigt, men hon disponerade stugan tack vare några bekanta som bodde utomlands. De ville behålla sommarstället inom familjen och hade låtit henne använda det gratis ända sedan barnen var små. Hon hade gjort det till sitt och älskade huset över allt annat.

Hon satte på sig jackan, klev i stövlarna. Tvekade i några sekunder med händerna vilande på dörrhandtaget.

Sedan vred hon om nyckeln och öppnade dörren.

Omvärlden bleknade bort och försvann när Knutas såg Regionalnytt i polishusets fikarum på kvällen. Det första inslaget handlade inte om Viktor Algård utan om dödsmisshandeln utanför Solo Club. Han blev djupt gripen av intervjun med pappan till ett av vittnena, systern och även rektorn och andra ungdomar som uttalade sig. När han plötsligt såg sin egen son komma i bild fick han svårt att andas. Johans speakerröst förkunnade:

"Flera ungdomar blev vittne till dramat, en av dem är Nils Knutas. Av rädsla för repressalier har han tidigare inte velat säga nåt om vad han såg, men i dag väljer han att träda fram."

Nils stod ute på brottsplatsen, pekade och visade hur han och hans kompisar hade befunnit sig där, bara några meter ifrån, och sett på hur Alexander slogs sönder och samman utan att någon av dem vågade ingripa. Han berättade om sina skuldkänslor, om hur rädd han varit och hur maktlös han känt sig. Hur han när förövarna sprungit därifrån gått

169

fram till Alexander och känt hans svaga puls, sett blodet och hur hans kompis ringde polis och ambulans. Själv hade han bara gått, lämnat platsen utan att förmå sig till att göra något över huvud taget.

– Vad är det som gör att du väljer att lätta ditt hjärta i dag? frågade Johan.

Nils tittade allvarligt rakt in i kameran när han svarade:

– Det var Alexanders syster, Olivias tal i aulan. Om hon orkar stå inför hundratals människor och berätta vad hon känner, hur ska jag då kunna vara tyst?

Så slutade inslaget. Därefter vidtog en studiointervju med flera deltagare; Knutas såg dem som i en dimma, uppfattade inte vilka de var, hörde inte längre vad som sades. Han satt som förstenad i soffan, kunde inte röra sig. Karin som satt bredvid gav honom en klapp på axeln och reste sig utan att säga något.

När hon lämnat rummet och stängt dörren hände något som inte inträffat på flera år.

Knutas grät.

Knutas öppnade dörren till villan på Bokströmsgatan med en avgrundskänsla i kroppen. Hans förtvivlan var bottenlös. Nils hade under flera veckors tid tigit om att han bevittnat misshandeln. Knutas visste inte vilket som var värst, att Nils undanhållit honom det i hans egenskap av pappa eller av polis.

Han hade försökt ringa Line, men det tutade upptaget på hemtelefonen och hon svarade inte på sin mobil.

Det var tyst i huset när han klev in i hallen. Han hängde av sig jackan utan att ropa sitt vanliga hallå. TV:n skvalade i vardagsrummet, något frågeprogram. Line satt i soffhörnan med läslampan tänd. Tidningen i knäet. Hon tittade upp när han visade sig i dörröppningen.

– Hej, min skatt, sa hon mjukt. Kom och sätt dig.

Han förstod omedelbart att hon sett de regionala nyheterna.

– Var är Nils?

– På sitt rum.

– Har du pratat med honom?

– Nej. Jag ville vänta på dig.

Han ropade så högt han förmådde.

– Nils!

– Ta det lugnt nu, manade Line. Det är inte lätt för honom heller.

Knutas tog ingen notis om henne. Stirrade uppåt trappan. Han hörde hur en dörr långsamt öppnades på övervåningen, en sprucken målbrottsröst.

– Vad är det?

– Kom ner.

– Men jag pluggar.

– Nu pallrar du dig hit, ögonblickligen!

Nils visade sig. Allvarlig och blek, det rödlockiga håret rufsigare än vanligt, T-shirten skrynklig, hål på jeansknäna.

– Vad är det?

– Sluta spela dum. Kom ner nu.

Genast ångrade han sitt hårda tonfall, men nu var det för sent.

Knutas stegade före in i vardagsrummet, stängde av TV:n, damp ner bredvid Line och tecknade åt Nils att sätta sig i fåtöljen mitt emot. Ilskan tog överhanden över sorgen eftersom han inte hade verktygen för att hantera situationen. Han befann sig på ett lösdrivande isflak, långt ute på ett okänt, iskallt och avgrundsdjupt hav.

– Kan du förklara för mig och mamma hur det kan komma sig att du inte har sagt ett ljud till oss på hela den här tiden om att du såg när Alexander misshandlades, men så fort det kommer en journalist och viftar med micken så pratar du som om du hade betalt för det?

Nils tittade trotsigt på honom. Blicken fylld av förakt.

– Ingen av er har frågat.

Orden kom så oväntat att Knutas tappade fattningen. Han

172

kastade en blick på Line. Hon skakade bara på huvudet och gömde ansiktet i händerna.

– Vi frågar väl hela tiden hur du mår och hur du har haft det, du vill ju inte berätta nåt, men vi försöker...

– Du är så upptagen med allt ditt. Du har väl inget intresse av hur jag har det eller vad jag har varit med om! Du bara låtsas bry dig, men det enda som är viktigt är ditt förbannade polispotatisgrisjobb.

Knutas baxnade över utfallet. Han var totalt oförberedd. I sin enfald hade han inbillat sig att Nils skulle vara ångerfull och be om ursäkt.

– Vad menar du?

– Att du inte bryr dig, allt du tjatar om är dig själv och dina jävla utredningar som jag skiter i. Varför skulle jag berätta nåt för dig? Du låtsas bry dig om oss, men det enda du gör är att släpa med oss nån enstaka gång på sånt som du själv tycker är kul. Som när vi var på golfbanan. Vi åkte ju dit enbart för din skull, fast du försöker spela värsta gullpappan som gör nåt kul med sina barn.

Knutas kinder hettade av harm, men han ansträngde sig för att behålla behärskningen.

– Nu måste du ändå medge att du är orättvis? Okej om jag pratar mycket om jobbet i perioder, men det är ju bara när jag är mitt uppe i nåt viktigt – då är det väl inte så konstigt? Fast allt roligt vi har gjort i alla år, det förstår du väl att det inte bara är för min egen skull? Så många utflykter som jag har dragit med er på – ända sen ni var små. Vi har varit på Kneippbyn och Vattenland, jag vet inte hur många gånger. Vi har åkt till Legoland och Astrid Lindgrens värld och jag har till och med ridit islandshästar med dig och Petra, fast du vet hur hästrädd jag är. Har du glömt allt det? Jag tycker du kunde visa lite tacksamhet ibland och inte vara så jäkla sur och egoistisk hela tiden. Jag och mamma gör så gott vi kan!

Nils höll blicken på sina händer, tittade inte ens på sin pappa. Han sa med låg röst:

– Det är inte mamma jag är arg på. Hon har alltid ställt upp. Till skillnad från dig.

Knutas stirrade handfallen på sin son. Han kunde inte tro att han hört rätt. Han svalde hårt. Det blev tyst i rummet medan han sökte efter orden.

– Nu förstår jag faktiskt inte vad du menar, Nils. Tycker du att jag aldrig ställer upp? Gör jag inte det?

– Jo, det är klart att du gör nån gång ibland. Men oftare när vi var mindre. Nu har du aldrig tid.

Knutas lutade sig tillbaka i soffan. Rummet började sakta snurra. Han tog några djupa andetag. Blinkade bort en tår. Line satt tyst, fortfarande med ansiktet dolt i händerna.

Samtalet med Nils hade inte alls utvecklats till den familjeförsoning han hoppats på. Han var chockad över sin sons förakt.

– Men varför sa du ingenting? vädjade han. Varför berättade du inte för oss att du var med?

– Därför att jag inte ville.

– Inte ville? Fattar du inte hur allvarligt det här är? Du är ju för helsike ett vittne!

– Ta det lugnt, protesterade Line. Du är polis för sjutton Anders, du om nån måste väl förstå dig på hur svårt det kan vara att erkänna att man har sett nåt, men inte kunnat eller vågat ingripa.

Nils blängde hånfullt på honom.

– Du ser själv, allt du bryr dig om är polisjobbet. *Du är ju ett vittne*, härmade han, rösten full av harm. Du skiter fullständigt i hur jag känner mig, hur jag mår efter att ha sett de där dårarna banka skiten ur Alexander.

174

Nils ansikte var sammanbitet och blicken flammade när han såg på sin far.

– Varför ska jag berätta nåt för dig? Ge mig en enda anledning!

Han reste sig ur fåtöljen och sprang ut ur rummet.

Sekunder senare slog ytterdörren igen med ett brak.

Trots den långa arbetsdagen kände Johan ingen trötthet och han hade inte ro att åka hem till den tomma villan i Roma efter jobbet. Emma hade tagit med sig Elin till sina föräldrar på Fårö. De satt och drack irish coffee framför brasan när han ringde. Hon berömde inslaget och hennes röst värmde.

Pia hade lämnat redaktionen snabbt när hon var klar och försvann antagligen hem till fårbonden. Det verkade allvarligt. Vanligtvis brukade hon inte vara så angelägen.

Han blev sittande vid datorn och ägnade de närmaste timmarna åt planlöst surfande. Så fick han upp hemsidan till Solo Club. De hade öppet. Visserligen hade han gjort flera reportage om Alexanderfallet därifrån, men aldrig bevistat klubben kvällstid när ungdomarna själva faktiskt var där.

Klockan var strax efter tio när han lämnade TV-huset. Han promenerade genom stan ner till hamnen. Nere på Skeppsbron var det fullt av ungdomar. Många såg ut att vara under arton.

Utanför Solo Club där allt skett bara några veckor tidigare var kön lång. Killen i dörren kände igen Johan och vinkade fram honom. Inne på diskoteket var ljudnivån hög och dansgolvet packat. Han förvånades över de unga tjejernas klädsel. Många var överdrivet lättklädda i små linnen och shorts som knappt gick ner över ändan. Vissa hade till och med bara spetstrosor med linne till, och en storbystad tjej dansade omkring i bara behå. Johan trodde knappt sina ögon, var det så här unga tjejer klädde sig nuförtiden? Det var skrämmande och bara det värt ett reportage. Killarna såg mer vanliga ut, de flesta i jeans och T-shirt eller skjorta. En och annan gick omkring med bar överkropp. Han beställde en öl och ställde sig vid disken. Det dröjde inte länge förrän det kom fram några tjejer som inte såg ut att vara äldre än fjorton, femton och beställde Coca-Cola i baren. En av dem var utstyrd i bara behå och minishorts. Han lutade sig fram emot henne, tvingades skrika i hennes öra för att överrösta musiken.

– Varför är du klädd så där?

Hon fnittrade till och tittade på honom med oförstående blick. Ögonen syntes knappt bakom all klumpig mascara i det av brunkräm täckta ansiktet. Läpparna var insmetade med en vit salva, håret tufsigt och rufsigt, söndersprayat. Typisk fjortis.

– Vadå?

– Varför har du bara underkläderna på dig?

Hon fnissade osäkert igen och flackade med blicken. Vände honom ryggen och fortsatte prata med sina kompisar. Han såg hur en av dem tog upp en liten flaska ur handväskan och hällde i läsken. Det var alltså så det gick till. Många inne på stället var märkbart berusade. Han viftade till sig bartendern.

– Hur har det här stället förändrats efter misshandeln?

Bartendern ryckte på axlarna.

– Ingenting. De första veckorna var det lugnare, men nu

177

är det lika mycket folk och lika mycket fylla igen. Som om det aldrig hade hänt.

– Hur kollar ni att de under arton inte dricker?

– Det går inte. Allt vi kan göra här i baren är att enbart servera dem som kan visa leg på att de har åldern inne. Men om de dricker innan de kommer hit, eller gömmer sprit i buskarna som de tar av när de går ut och röker eller om folk utanför säljer till dem, det kan vi omöjligt ha koll på.

– Det finns väl de som smusslar med sig sprit in?

– Absolut. Men vi har ingen möjlighet att muddra alla. Det är som det är.

Han ryckte på axlarna och fortsatte jobba.

Johan drack ur ölen och lämnade stället.

Utanför var det lika mycket liv som inne. Tonåringarna stod och rökte, ett större grabbgäng garvade högt och kastade en ölflaska mellan sig, ett omslingrat par kysstes ogenerat, en liten tjej satt en bit bort med huvudet i händerna. Hon såg ut att må dåligt. Johan slog sig ner bredvid.

– Hur är det?

Han lade handen försiktigt på hennes späda axel. När hon tittade upp på honom hajade han till. Tjejen var visserligen hårt mejkad men såg inte ut att vara äldre än tolv, tretton. Ögonen var halvslutna och hon var vit i ansiktet.

– Jag mår illa.

Längre hann hon inte förrän hon kräktes. Han hjälpte henne, torkade upp. Hon grät, han tröstade.

– Vad heter du?

– Pernilla.

– Var kommer du ifrån?

– Hemse.

Herregud, tänkte Johan. Vad var det för föräldrar som lät ungen vara ute mitt i natten flera mil hemifrån? Stupfull,

178

dessutom. Han grävde i hennes jackfickor och hittade mobilen. Flera obesvarade samtal från mamma. Han ringde upp. Hög musik i bakgrunden, en skrattig kvinna svarade.

– Ja, hallå?

– Hej, jag heter Johan Berg och sitter här med din dotter Pernilla.

– Ja?

– Vi är i Visby och jag är ledsen att säga det, men din dotter är väldigt berusad.

Rösten blev tjock av oro.

– Va? Är det sant?

– Det är nog bäst om du kommer. Hon klarar sig inte själv.

Nu hördes fler upprörda röster i bakgrunden.

Herregud. Pernilla är full. Vem kan åka, vi har ju druckit allihop. Susanne, hon är ju gravid, hon är väl den enda som kan köra? Vi skulle inte ha låtit dem åka in till stan. Jag sa ju att vi inte skulle låta dem åka. Var är de andra? Var har de fått spriten ifrån?

Efter någon minut kom kvinnan tillbaka.

– Javisst, min man kommer. Var är ni?

Johan förklarade var de befann sig.

Flickan kräktes flera gånger. Hon visste inte vart hennes kompisar hade tagit vägen. När Johan frågade hur gammal hon var berättade hon att hon gick i sexan. Herregud, tänkte han. Hon är bara tolv, ett år äldre än Emmas dotter Sara. Skulle hon sitta så här om ett år?

I nästan en timme blev han kvar och hjälpte Pernilla kräkas ut vad det nu var hon hade fått i sig. Till slut bromsade en bil in och en man i hans egen ålder klev ur. Klädd i jeans och skjorta och med en stressad uppsyn. Strax bakom kom en höggravid kvinna. Det var hon som körde.

– Men lilla gumman, utropade mannen och tog den berusade flickan i sin famn. Hur mår du? Kom med här. Var är Agnes och Mimmi?

Han tryckte henne framför sig och motade in henne i bilen medan han pratade. Kastade ur sig ett tack för hjälpen till Johan innan de for iväg med en rivstart.

Modstulen promenerade Johan genom stan till redaktionen. Han kände sig betryckt. Såg Saras söta oförstörda ansikte framför sig. Hon hade redan börjat sminka sig ibland. Var det detta som väntade runt hörnet? Han ryste vid tanken. På samma gång kändes det upprörande att festandet kring Solo Club pågick som vanligt dagen efter Alexander Almlövs död.

Precis som om misshandeln aldrig inträffat.

Hon vaknade av en hostattack. En stickande lukt, ögonen rann. Snabbt tumlade hon ur sängen, insåg till sin förfäran att hon var omgiven av tjock rök. Innan hon gick och lade sig hade hon stängt sovrumsdörren helt eftersom hon suttit och skrämt upp sig själv kvällen före. Röken trängde in genom gliporna och hettan var olidlig. Hon knep ihop både ögon och mun. Sovrummet låg längst in i stugan, bakom köket. Första tanken var att slita upp dörren och ta sig ut, men hon insåg i samma stund som hon försökte greppa det glödheta järnhandtaget att huset antagligen stod i ljusan låga på andra sidan. I stället fick hon fatt i golvlampan och dängde den mot fönstret så att glaset krossades. Ögonen sved, hon förmådde knappt hålla dem öppna, röken gjorde henne vimmelkantig, hon ansträngde sig för att hålla andan. Med viss möda lyckades hon få upp haspen, klättrade ut och föll ner på gräsmattan. Chockad och medtagen kravlade hon sig framåt, så långt bort från elden hon kunde komma. Vågade inte vända sig om förrän hon lyckats ta sig ända bort till dasset. Hon satte sig mot dassväggen och iakttog förstummad skådespelet framför sig. Stugan var helt övertänd och

181

eldslågorna slog upp i flera meter höga, ilskna flammor mot den mörka natthimlen. Hon kunde inget göra, bara sitta där och se på när huset, där hon tillbringat så många somrar och som hon hade så många minnen från, brann upp framför hennes ögon. Inte en endaste liten pryl hade hon fått med sig. Kroppen var bedövad, liksom tanken, hon förmådde inte känna någonting.

Inga människor fanns i närheten, bara hon och elden samsades om utrymmet. Hon kunde inte kommunicera med omvärlden, saknade mobiltelefon och närmaste granngård låg flera kilometer bort. Hon domnade bort en stund och det kändes som om hon var på väg att somna.

Först då hörde hon sirenerna.

Natten blev sömnlös. Knutas vred och vände sig i sängen. Efter flera timmars fruktlösa försök gav han upp. Han smög ut ur sovrummet och ner i köket där han hällde upp mjölk och tog fram ett paket kakor. Satte sig med en suck vid köksbordet. Katten hoppade upp på bordet, strök sig kelsjukt mot honom. Du tycker i alla fall om mig, tänkte han gråtmilt. Grälet med Nils hade inneburit ett brutalt uppvaknande. Han hade inte haft en aning om att avståndet dem emellan var så oändligt stort. Han bannade sig själv, hur hade han kunnat vara så aningslös? Så egoistisk?

Barnen utgjorde en kristallklar spegel. Skoningslöst avslöjade den varje skavank och brist hos honom som förälder. Graden av förtroende, kärlek och samhörighet barnen visade var ett kvitto på hur han lyckats som pappa. Hur betedde de sig hemma, vad berättade de av sig själva utan att frågor behövde ställas? Hur mycket kärlek visade de självmant? Han hade bara gått på i ullstrumporna, oförmögen att se vad som hände runt omkring. Det var Line som tog dem till landet på helgerna, hon som körde till matcher och träningar, hon som oftast städade och lagade mat. Han hade varit så uppslukad av jobbet att han inte haft ögon att se med.

Skulden var nästan övermäktig att bära.

Kanske är det de regelbundna samtalen som gör att höljet över mina ögon håller på att skingras. Dimmorna lättar. Min blick är klarare, ändå mår jag sämre. Huvudvärken spänner allt hårdare över pannan.

Som vanligt sitter vi i rummet, vilar i tystnaden en stund. Om jag vrider på huvudet och ljuset faller in från sidan så liknar takrosetten en människa med ett stort gap. Kanske är det min mors käftar som bara blir större ju mer man stoppar in. Missnöjet ökar för var dag, månad och år. Alltid nya saker att beklaga, att förfäras över. Nya problem, nya streck i räkningen, nytt grus i maskineriet. Jordens undergång så fort livet inte flyter på som smält smör i en långpanna. Hon är som en fetglänsande daggmask som vrider, vänder och vältrar sig i sin egen olycka, sitt eget martyrskap. Som en cancersvulst ständigt på jakt efter nya elakartade celler. Söker oupphörligen nya vedträn att slänga på sin eländesbrasa. Hungrigt hugger hon efter minsta småsak som kan underhålla hennes misär. Ibland känns det som om min hjärna är på väg att koka över.

Jag är så evinnerligt trött på att hon tar så stor plats.

Som en fluga på väggen, allestädes närvarande, vare sig man vill det eller inte. Hon har förvandlats till en tjock gröt som trängt upp genom mitt inre för att sedan fastna som en propp i halsen. Allt jag vill göra är att spy upp skiten en gång för alla. Kräkas upp henne. Få henne att lämna min kropp som hon har invaderat ända sedan jag föddes. Det är sjukt, jag vet.

Jag är tillbaka hos min samtalspartner igen.

Fönstret står lite på glänt, solen skiner och det är varmt ute.

– Sist vi sågs försvann du snabbt. Vad var det som hände?

– Ibland blir jag så full av min så kallade mor att det svämmar över. Då måste jag spy eller skita, ungefär som om jag är en soptunna och hon är avfallet.

– Kan du beskriva hur du känner när det blir så där?

– Ibland står jag inte ut med tanken på henne och de stunderna är det som om något annat tar över.

– Hur då menar du?

– Som om kroppen tar kommandot. Den reagerar alldeles av sig själv, den får ett eget liv, blir omöjlig att styra. Den protesterar. Som om den gör uppror mot att hon äter sig in i mig som en jävla parasit. Bygger bo därinne som blir större och större tills hon tar kål på mig fullständigt. Fast jag inte vill så är hon det första jag tänker på när jag vaknar och det sista som finns i skallen innan jag somnar. Jag kan inte göra nåt åt det, hur jag än försöker. Hon är mitt ständigt dåliga samvete.

– På vilket sätt yttrar det sig?

– I hela mitt liv har jag till exempel fått skuldkänslor när jag gjort nåt roligt på egen hand, utan henne.

– Varför då?

– Därför att så fort jag ska åka på skidresa, gå på konsert eller göra nåt annat kul så kommer hennes utgjutelser om hur hon längtar efter att få göra samma sak. *Om jag ändå fick...* Till och med när jag hade familj kunde jag få dåligt samvete när vi satt med tända ljus, åt middag och myste. Jag borde ha bjudit hit mamma. Inte för att det var roligt att ha henne hemma. Jag minns när Daniel var nyfödd och vi hade flyttat till den nya lägenheten. Hur mamma kom och hälsade på ibland på söndagarna. Innan hon ens hade fått av sig skorna i hallen ekade den gälla frågan: *Är kaffet klart?* Sen tog hon plats i soffan och blev sittande som fastlimmad vid sofftyget tills det var dags att gå. Kaffet kallnade i koppen medan hon pladdrade på om än det ena, än det andra. Om jag berättade om Daniels svårigheter att sova eller om Katrina nämnde hans kolik så viftade hon bara bort det och började genast, vänd mot Katrina, yvas över hur snälla hennes barn hade varit. Med dem var det aldrig några problem varken med mage, mat eller sömn. Underförstått: *Du är misslyckad som mor. Mina barn fungerade perfekt, men då var det förstås jag som var mamman.* Själv höll jag mest tyst, försökte släta över men det blev bara fel. Mamma fick ännu mer näring till sina utgjutelser, nålsticken växte till rena rama yxhuggen. Det slutade oftast med att Katrina reste sig och började stöka i köket, tills mamma hade gått. Jag skämdes för att jag betedde mig så ryggradslöst.

– Varför gjorde du det då?

– Jag vet inte. När jag tänker tillbaka kan jag inte för mitt liv begripa hur jag kunde låta mamma ha så stor makt över mig. Till och med som vuxen med egen familj att ansvara för har jag betett mig som en förskrämd pojke. Det är precis som om hon får mig att känna skuld gentemot henne. Som om jag borde betala tillbaka.

– Det är ett sätt att behålla kontrollen. Fortsätta stå i centrum.

– Ja, det ska gudarna veta att hon vill. När hon kommer på besök ska per automatik all aktivitet avstanna. Alla förväntas genast släppa vad de har för händer och ägna henne odelad uppmärksamhet. Och när kaffet är avklarat så vill hon ha hjälp med allt möjligt. *Har du en telefonkatalog, en nagelfil, kan du hjälpa mig att boka teaterbiljetter på internet, har ni en symaskin, jag skulle behöva laga de här byxorna, jag måste färga håret – kan jag göra det i ert badrum? Får jag låna telefonen, hur funkar min mobil – kan du läsa bruksanvisningen högt och så går vi igenom allt, detalj för detalj?*

Och hon är fullständigt omedveten om att vi kanske har annat att göra. Om jag berättar att jag har haft det körigt på jobbet viftar hon bara bort det med *Var glad att du har ett jobb* eller om jag i något svagt ögonblick ville ha stöd när jag och Katrina hade grälat: *Var glad att du har en kvinna – att ni är två. Tänk på mig som har varit ensamstående mamma.* Att det är hon själv som har lämnat varenda karl hon träffade under vår uppväxt har hon förstås glömt.

Min samtalspartner ser mer och mer frågande ut. Som om det är svårt att tro på att det jag säger är sant. Men det är det. Vartenda ord. Jag har kommit upp i varv nu. Även om det gör ont är det skönt att säga skiten högt. Det har jag aldrig gjort förut.

– Det värsta är att vad jag än gör för henne så blir hon aldrig nöjd. Hjälper jag henne att storhandla och ägnar flera timmar i mataffären, kör henne hem och lastar in alla varor så frågar hon om jag inte dessutom kan stanna och laga maten. Säger jag då nej så kan jag vara säker på att jag ändå lämnar henne där missbelåten. Om jag kommer på besök och har med mig en flaska vin för att överraska så svär hon över att jag inte tog med mig en hel box. Vad jag än gör för henne så är det inte nog. Fast det mest obegripliga är att ju mer jag servar henne, desto mer missnöjd blir hon.

– Hur hänger det ihop?

– Ju mer hon får, desto mer vill hon ha. Kraven ökar i takt med mina insatser. Hon kan aldrig tänka som en vanlig människa, till exempel att nu har jag fått så mycket hjälp så nu är jag nöjd ett tag. Det existerar inte för henne. Så fort ett projekt är avslutat så ska man sätta igång med nästa.

– Varför fortsätter du att göra saker för henne? Du underhåller ju bara hennes beteende. Varför protesterar du inte?

– Jag vet inte. Det har bara varit så här jämt. Och jag har lärt mig att inte ifrågasätta. Så fort jag inte håller med henne eller säger emot så blir hon rasande. Hon tål inte att bli emotsagd. Då höjer hon rösten, hetsar upp sig mer och mer, pratar oavbrutet högre och högre och tjatar i det oändliga med samma argument som om hon vore en papegoja. Det blir så obehagligt och hon är så oresonabel att jag väljer att låta bli. Det lärde jag mig tidigt.

– Kan du inte förklara för henne hur du känner?

– Gudarna ska veta att jag kan drömma om det. Mammas oförmåga att lyssna får mig ibland att fantisera om hur jag ska binda fast henne vid en stol, tejpa för hennes mun och på så sätt tvinga henne att höra på mig. Då ska jag berätta allt. Hur jag har upplevt hela barndomen och hennes agerande. Jag ska tydligt illustrera vad jag menar med konkreta exempel för att få henne att förstå. Hon ska sitta där i stolen, bunden till händer och fötter med tjock silvertejp över munnen och tvingas ta in vartenda ord.

– Varför fantiserar du om detta, tror du?

– Innerst inne när jag kanske ändå en naiv förhoppning

om att allt ska bli bra. Att hon till sist ska se mig, förstå och visa mig respekt. Att vi ska mötas.

Jag hör mig själv sucka tungt.

– Snart står jag inte ut med att ha det så här längre.

– Hur menar du?

– Precis det jag säger, att jag inte står ut.

– Och vad ska du göra åt det?

– Nåt måste jag göra, det vet jag.

– Vadå?

Jag möter en orolig blick, men väljer att inte svara.

Branden ute i Holmhällar bekräftade Knutas farhågor. Gärningsmannen de sökte var ute efter Veronika Hammar och ingen annan.

Spaningsledningens morgonmöte samlade full skara och luften var laddad av energi när Knutas inledde.

– Klockan 02.15 i natt kom larmet om att en stuga brann ute vid Holmhällar. Larmet ringdes in av en granne, Olof Persson, som har en gård ett par kilometer därifrån. Han såg eldskenet på himlen, körde dit och upptäckte den brinnande stugan som var helt övertänd. En person skadades i branden och det är ingen mindre än den eftersökta Veronika Hammar. Hon fick lättare rökskador och befinner sig på lasarettet. Orsaken till att vi inte hittade stugan är att hon inte äger den. Hon disponerar den bara, men det har hon tydligen gjort i över trettio år.

– Har hon förhörts än? frågade Smittenberg.

– Ja, men bara kort. Hon säger att hon vaknade av att det brann. Då var stugan redan övertänd. Hon hade bara en tanke i huvudet och det var att ta sig ut, vilket hon lyckades med, faktiskt helt utan brännskador. Hon andades in en del giftig

191

rök, men kan troligtvis åka hem från lasarettet senare i dag.

– Hur mår hon? undrade Wittberg.

– Hon är chockad och uppriven. Hon fick inte med sig en enda av sina tillhörigheter och det är klart att det finns en massa saker med affektionsvärde som gått förlorade. Dessutom är hon rädd, hon säger att nån var utanför på tomten samma kväll som branden inträffade.

– En person som inte gav sig tillkänna?

– Just det. Teknikerna är ute vid stugan nu, fast det lär dröja innan de kan göra en grundligare undersökning. De har i alla fall redan ringt och berättat att de har hittat en dunk och trasor på tomten, så vi kan nog utgå från att branden är anlagd.

– Finns några vittnen? frågade Smittenberg.

– Nej, ingen som har hört av sig, förutom bonden som larmade. Och Veronika Hammars stuga var den enda som var bebodd i området än så länge, såvitt vi vet.

– Jag åker ut till platsen direkt efter mötet, sa Erik Sohlman. Tomten är rätt stor, det kan ju finnas spår runt omkring om de inte har förstörts i släckningsarbetet.

Tystnaden lade sig i rummet.

– Okej, sa Karin och såg sig om bland kollegerna kring bordet. Ska vi fokusera på teorin att det är Veronika Hammar som är det enda tilltänkta offret? Att Viktor Algård dog av misstag?

– Vi avbryter alltså sånt som har med enbart Viktor Algård att göra? fyllde Wittberg i. Krogbråket och kongresshallen?

– Ja, tills vidare i alla fall, ansåg Knutas. Vi lägger mest krut på att hitta personen som tycker sig ha anledning att skada Veronika Hammar.

– Men frun då, inflikade Wittberg. Elisabeth Algård – hur ska vi hantera henne?

– Hon är naturligtvis fortfarande intressant, hävdade Karin. Det kan faktiskt vara hon som har varit ute efter att ta kål på sin rival hela tiden.

– Visst, sa Knutas. Vi tar in henne på ett nytt förhör. Direkt efter det här mötet.

Han vände sig mot Karin.

– Har du nåt nytt om Veronika Hammar?

– Nja, en del vet vi ju redan, sa Karin och bläddrade bland sina papper. Hon är som sagt frånskild sen många år. Hennes före detta make dog i en bilolycka för tjugofem år sen. Då var de redan skilda. Hon har alltså fyra vuxna barn, varav två bor här på Gotland och två i Stockholm. Hon umgås lite med en granne, hon har två systrar, en på Gotland och en i Stockholm som hon träffar sporadiskt, några gamla vänner från arbetslivet.

– Okej, alla i Veronikas familj och bekantskapskrets ska förhöras. Grannar, konstnärsvänner. Hon är säkert med i nån konstklubb eller förening. Även folk ute i sommarstugeområdet i Holmhällar, lösningen kanske finns där ute. Jag tänker direkt på Sten Bergström, han bor ju precis i närheten, vi får prata med honom igen. Och när det gäller barnen så ska de förhöras omgående.

Johan väcktes av att någon ruskade om honom. Han blinkade mot ljuset, hade först ingen aning om var han befann sig. Så kom minnet tillbaka. Natten på Solo Club. Efteråt hade han kraschat på soffan på redaktionen. Han stirrade in i ett sotsvart ansikte. Det tog ett tag innan han förstod vem det tillhörde.

– Vakna. Jag har ringt massor av gånger. Du kan ju ligga och tryna medan himlen faller ner.

– Ta det lugnt, stönade han.

Satte sig upp, gäspade, gnuggade sömnen ur ögonen. Munnen smakade apa. Han glodde förvånat på Pia.

– Hur ser du ut, människa?

– En annan har jobbat medan du har legat här och drönat. Var du ute i går eller? Utfestad?

– Om det vore så väl. Jag var på Solo Club och tog hand om fulla småtjejer. Vad är det som har hänt?

Pias ansikte var lika svart som hennes kajalpenna. Håret stod mer än vanligt åt alla håll och kläderna var skrynkliga och svartfläckiga. Ränderna på halsen gick fint i linje med strecken kring ögonen. Hon liknade en indian med krigsmålning.

– En stuga har brunnit ner ute vid Holmhällar.

– Jaha?

– Branden var anlagd och en kvinna skadades. Jag tyckte att vi åtminstone kunde ha telegrambilder. Jag var vaken när larmet kom och var ändå nere på Sudret så jag hann få både bilder när det fortfarande brann och intervju med räddningsledaren. Sen väntade jag in teknikerna och fick tag i en som bekräftade att de hade hittat en dunk och några trasor på tomten. Ambulansen som hämtade den skadade kvinnan missade jag däremot.

– Vet du om det var allvarligt?

– Brandmännen trodde att hon bara var lindrigt rökskadad. Jag ringde lasarettet, men de säger som vanligt ingenting. Och du, det visade sig att det var en jäkla tur att jag åkte dit.

– Varför då?

– Stugan tillhör inte vem som helst om man säger så.

– Vadå?

– Veronika Hammar bodde där. Du vet, hon med fårtavlorna. Hon är konstnär. Det är hon som målar de där tavlorna med fårmotiv som de säljer på Stora torget. Du vet: får i hage, får i motljus, får på strand ...

– Jaså, de där? Ja, dem känner väl alla till.

– Det är alltså hon som är skadad. Och vet du vem hon hade ett förhållande med?

– Nej?

– Viktor Algård. Det är hon som är den hemliga älskarinnan.

Johan satte långsamt ner kaffekoppen.

– Är du säker?

– Yes.

– Hur säker?

195

– Övertygad. Jag har en initierad källa.

– Vi behöver två. Oberoende av varandra.

– Jag vet inte om det är nödvändigt i det här fallet.

Pia såg finurlig ut.

– Nehej?

– Min källa är nämligen väldigt nära. Uppgifterna kommer från Andreas, du vet fårbonden.

– Va?

– Han heter Hammar i efternamn.

Johan stirrade mållös på sin kollega.

– Du är alltså ihop med Veronika Hammars son.

– Din slutledningsförmåga imponerar.

Johan slog på datorn och läste TT-telegrammen. Tidningarna hade publicerat bilder på sina förstasidor. Ingenstans stod det att stugan tillhörde Veronika Hammar eller att det fanns någon som helst koppling till mordet på Viktor Algård.

– Men om stugan var Veronika Hammars och hon var hans hemliga flickvän så låter ju branden som mordförsök, sa Johan. Den som dödade Algård är nu ute efter Veronika Hammar.

– Snyggt, Sherlock. Du har fattat galoppen.

Pia vände sig mot datorn för att tanka in bilderna.

Veronika Hammar låg i ett eget rum längst ner i korridoren. Avdelningssköterskan hade förvarnat om att hon var medtagen och troligen skulle hållas kvar ännu ett dygn för observation. Knutas knackade försiktigt på dörren innan han klev in. Han ryckte till när han fick syn på kvinnan i sängen. Veronika Hammar verkade ha åldrats tio år sedan han såg henne sist. Nu låg hon där, omålad, okammad i landstingets vita nattlinne som stack upp ovanför den gula sjukhusfilten. Hon såg ut att ha krympt ännu mer. Som en liten skadeskjuten fågel, till synes tömd på all kraft. Halsen var rynkig, läpparna torra. Hon var helt stilla och blundade när han klev in.

– Hej, sa han lågt.

Ingen reaktion. Han klappade henne lätt på handen. Hon ryckte till och öppnade ögonen.

– Förlåt att jag stör. Jag heter Anders Knutas och är kriminalchef. Vi har träffats en gång.

– Jag vet vem du är. Jag må vara rökskadad, men jag har inte tappat minnet.

Hennes röst var vass och knastertorr.

Knutas drog fram en stol och satte sig.

– Orkar du berätta vad som hände?

Den späda kvinnan suckade och kom upp i sittande ställning, gestikulerade otåligt åt honom att hjälpa henne att buffa till kuddarna bakom ryggen. Sedan ringde hon på sköterskan och bad om ett glas vatten.

– Jag vaknade av att det brann, det var helt förskräckligt, fruktansvärt helt enkelt. Det var hett i rummet och jag såg hur tjock rök sipprade in genom dörrspringan. Jag slog sönder fönstret och klättrade ut. Sen kunde jag bara sitta där och titta på hur hela huset brann ner. Alltihop. Alla mina saker, alla minnen ...

Hon såg inte på honom när hon pratade utan huvudet var hela tiden vänt mot taket.

Stillsamt började tårar rinna nerför hennes kinder. Knutas avvaktade en stund. Sköterskan kom in med vattnet. Han skruvade besvärat på sig. Situationen var olustig, men eftersom hon inte visade några tendenser till att sluta gråta fortsatte han att ställa frågor.

– Såg du eller hörde du nåt misstänkt? Nån okänd person i närheten?

– Jag åkte ju ut till stugan dagen före. Jag var helt slut efter allt som hänt med Viktor, polisförhöret, grannarnas blickar och viskningar – ja, allt. Jag flydde dit för att få vara ifred, berättade det inte för en enda människa. Och eftersom jag aldrig brukar sätta min fot på landet före pingsthelgen, eftersom jag avskyr att vara ensam, så tänkte säkert ingen på att jag kunde vara där. Ändå hade jag redan från första stund en känsla av att nån strök omkring i närheten. Både när jag var ute på promenad och inomhus. Och på kvällen innan det började brinna så är jag fullständigt övertygad om att det var en inkräktare på tomten.

– Såg du nåt?

– Nej, men det var liksom en skugga som gled förbi utanför fönstret. Jag fick den känslan och jag vet att jag kan lita på min intuition. Nån var där, helt säkert.

– Hur tolkar du det som har hänt?

– Nån galning är ute efter mig, det finns ingen som helst tvekan.

– Hur kan du vara så säker på det?

Äntligen vände sig kvinnan i sängen mot honom. Hennes uppsyn var misstrogen.

– Det är väl uppenbart, även för er poliser? sa hon spydigt. Nån tände på stugan när jag var där. Det betyder mordbrand, nån ville alltså döda mig, göra så att jag brann inne. Min första tanke var att det måste vara Viktors fru, Elisabeth, som ligger bakom. Först ska hon ha död på sin man och sen på mig.

– Detta leder mig osökt in på min nästa fråga. Under kvällen där på kongresshallen – du fick en drink av en okänd beundrare. Minns du det?

Veronika Hammar fick något förvirrat i blicken.

– Ja, sa hon osäkert.

– Det var en strawberry daiquiri, utan alkohol.

– Jaha?

– Smakade du av drinken?

Tystnaden lade sig i rummet, medan Knutas spänt betraktade kvinnan. Hon bet sig i underläppen och tittade upp i taket.

– Jag minns inte riktigt… Gjorde jag det? Jag fick drinken, men jag behövde gå på toaletten och gav glaset till Viktor. Jag tror inte att jag drack nåt.

– Och sen skildes ni åt och träffades inte igen, eller hur?

– Nej. Jag… Menar du att…?

199

– Att den drinken troligtvis innehöll giftet.

– Den var alltså avsedd för mig...

Veronika Hammars händer for upp mot bröstkorgen. Hon såg skärrad ut och rösten darrade när hon fortsatte:

– Det skulle alltså betyda att det är mig mördaren har varit ute efter från början. Att Viktor dog av misstag. Det är ju förskräckligt!

– Varför berättade du inte detta på en gång, i det första förhöret?

– Jag hade inte en tanke på det. Jag hade glömt bort det, helt enkelt.

– Du sa tidigare att sista gången du såg Viktor var när han tog ditt glas och du gick på toaletten?

– Ja.

– Sen träffade du honom inte mer under kvällen?

Veronika Hammar skakade på huvudet. Knutas spände ögonen i henne.

– Kan du då förklara för mig hur det kommer sig att det formligen dräller av dina fingeravtryck på mordplatsen?

Reaktionen var lika ögonblicklig som oväntad.

Veronika Hammar stirrade bestört på honom under några sekunder, sedan skrek hon rätt ut:

– Jag orkar inte längre, nu får du sluta! Jag är en skör människa, jag klarar inte vad som helst!

Tårarna sprutade och hon snarare skrek än grät. Kvinnans oväntade utbrott skrämde slag på Knutas.

– Såja, ta det lugnt, manade han och satte sig bredvid henne i sängen. Jag har inte anklagat dig för nånting. Du måste förstå att vi undrar.

Han klappade henne tafatt på ryggen.

– Först mördar nån min stora kärlek, sen smyger nån på mig och bränner ner min stuga, och nu försöker du få det till att jag är misstänkt! Nån jävla måtta får det vara på vad en människa ska tvingas stå ut med. Nån jävla gräns finns det även för mig!

– Men snälla du, fortsatte Knutas med sin allra mjukaste röst. Jag tror ingenting, men du kan väl berätta vad du gjorde i rummet. Hittade du honom där?

Veronika Hammar snörvlade och hackade. Dörren öppnades och en sköterska stack in huvudet.

– Hur var det här då?

– Jodå, det är bra nu.

Knutas viftade avvärjande med handen. Sköterskan såg frågande på Veronika Hammar som nickade. Därmed lät hon sig nöjas och sköt igen dörren.

Knutas hällde upp ett glas vatten från det lilla handfatet i rummet och rev av en bit papper.

– Såja, tröstade han som om han talade till ett barn. Torka tårarna nu så reder vi ut det här, en gång för alla.

– Ja, kved hon. Jag har inte gjort nåt, det har bara varit så jobbigt.

– Jag förstår.

Han räckte fram glaset och hon drack girigt.

– Berätta nu.

– Det var så här att på slutet av kvällen – då under invigningen – så hämtade jag först min kappa i garderoben, men sen gick jag runt och letade efter Viktor. Jag förirrade mig långt bort i korridorerna och till slut kom jag till rummet på nedervåningen där vi skulle ha träffats. Jag gick in och såg att det kom ljus från hissen längre in. Den stod lite öppen.

Hon höll händerna för ansiktet och orden kom stötvis.

– Där låg han bara, orörlig. Först gick jag fram, tänkte att han kanske levde. Ansiktet var bortvänt. Men när jag kom närmare förstod jag att han var död.

– Vad gjorde du då?

– Jag greps av panik, ryckte upp närmaste dörr och skyndade mig hem. Jag var livrädd, trodde att mördaren kanske var kvar och skulle ge sig på mig med.

– Hade du ingen tanke på att larma polisen?

– Jag var berusad, trött och visste varken ut eller in. Vårt förhållande var hemligt och jag kunde inte se varför alla måste få veta det. Och skadan var redan skedd. Min Viktor var död.

– Om allt det här stämmer så hamnar saker och ting i ett helt nytt läge.

– Vad menar du?

– Branden, din förklaring till fingeravtrycken och alltihopa. Det betyder att misstankarna mot dig försvagas betydligt.

– Vad menar du? Att jag inte är misstänkt längre?

– Ja, sa Knutas osäkert eftersom kvinnan i sängen plötsligt brusade upp. Du är nog i det närmaste avskriven, faktiskt.

– Så du menar på fullt allvar att ni har misstänkt mig? För mord på min egen stora kärlek som jag äntligen hade hittat efter ett helt liv med miserabla karlar. För det är ni ju, nästan hela bunten! Det är ju hårresande – att ni poliser kom till den infantila slutsatsen att jag skulle vara en kallhamrad mördare som tar livet av min egen drömman? Det är ju horribelt!

Veronika Hammar hade satt sig upp i sängen och höjde rösten avsevärt. Med ens verkade hon inte alls så skör.

– Hur vågar du komma hit och beskylla mig för än det ena, än det andra? Här ligger jag rökskadad, utsatt för mordbrand, jag hade lika gärna kunnat vara död och du har mage att stövla in här och anklaga mig för att vara en mördare. Ut, säger jag! Stick iväg! Ut härifrån och våga inte visa dig i min närhet igen! Förbannade svin – far åt helvete!

202

Knutas häpnade, både över den späda kvinnans plötsliga och kraftfulla utbrott och oväntade röstresurser.

Inom några sekunder sprang två sköterskor in i rummet och försökte lugna ner patienten som fortsatte skrika, gråta och fäkta med armarna.

De blängde ilsket på Knutas, men sa inget.

I tumultet skyndade han sig att lämna rummet, lättad över att komma därifrån.

Elisabeth Algård förhördes under fredagen utan att något nytt kom fram. Hon hade alibi för brandnatten då hon befunnit sig i Stockholm tillsammans med sina barn. De hade varit på bio och restaurang och hon hade sovit över hos dottern. Knutas hade aldrig trott att hon var inblandad, det var något med henne som fick honom att tvivla. Och hans intuition brukade leda honom rätt. Åtminstone när det gällde arbetet.

Inga vittnen fanns till branden men teknikerna hade upptäckt brandhärdar på flera olika ställen i huset och man hade beslagtagit en bensindunk och flera trasor. Ett vittne som varit ute och rastat hunden hade lagt märke till en motorcykel som stått parkerad på Pensionat Holmhällars parkering, ett stenkast från stugan. Det var stängt så här års och vanligtvis låg parkeringen öde. Däremot visste vittnet inte vad det var för märke och han mindes inte heller registreringsnumret.

Veronika Hammar hade fått lämna sjukhuset och eskorterats till sin bostad på Tranhusgatan innanför muren. Polisen hade installerat trygghetslarm och ett extra säkerhetslås på dörren. Under de närmaste dagarna fick hon bevakning dygnet runt. En civil bil fanns hela tiden utanför bostaden. Man hyste en förhoppning om att gärningsmannen skulle dyka upp igen under helgen när han insett att han återigen misslyckats med att ta död på henne.

Direkt efter morgonmötet gav sig Karin och Knutas av för att förhöra Veronika Hammars son, Andreas.

Andreas Hammar var en av de största fårbönderna på södra Gotland. Gården låg på vägen mellan Havdhem och Eke. Det var inget typiskt gotlandshus, utan påminde mer om en stenvilla någonstans i Provence. Den gula putsen hade flagat på sina ställen och taket behövde läggas om. På framsidan fanns en vacker veranda med ståtliga pelare och en blomstrande trädgård. Två bordercollier låg ute på gården medan de slött iakttog hönsen som pickade omkring.

De hade förvarnat om sin ankomst. Andreas Hammar hade sagt att han var strängt upptagen med att väga in tackor den här dagen, så de fick möta honom på gården och prata bäst de ville medan arbetet pågick. Han hade inte tid med annat.

När de parkerade på gården började hundarna skälla och en stor karl dök upp bakom hörnet på huset. Han var klädd i en blå arbetsoverall och kraftiga stövlar, kikade fram under en keps och hälsade buttert.

– Ni får köra efter mig.

De följde en traktorstig utefter åkern vid sidan av huset och stannade vid en grind. Hundratals får befann sig i hagen och kom travande från alla håll under högljutt bräkande. Knutas såg fascinerat på när den enorma skocken samlades ihop på några minuter och sprang emot dem i gemensam tropp. Mer disciplinerade än militärer, tänkte han. En lastbil stod parkerad vid åkern. Inne i själva hagen hade två mindre områden hägnats in. De två hundarna hjälpte till att samla in fåren i den första inhägnaden. Andreas föste sedan in ett får i taget genom en gång som var övertäckt med hönsnät till nästa fålla, som var så liten att de tjockpälsade fåren knappt fick plats. Där utgjordes botten av en vågplatta som de klev upp på. Sedan gällde det att få fåret att stå still de sekunder det tog att registrera vad det vägde. Karin hjälpte till att mota in fåren i gången och hålla dem stilla medan Andreas skrev ner vikten i en anteckningsbok. Sedan föste han tillbaka fåret ut i hagen. Vissa får underkastade sig behandlingen utan protest, medan andra var panikslagna och gjorde allt för att komma därifrån. Ibland gick det riktigt vilt till och de såg ut att kunna bryta av sina små stickor till ben i de tröstlösa rymningsförsöken. Karin hade fullt upp och såg genomsvettig ut redan efter några minuter.

– De blir så där, förklarade Andreas. Helt ifrån sig så fort de blir ensamma. Det är känsliga djur, nervösa, men smartare än vad många tror.

Knutas började bli otålig och satte igång med förhöret.

– Varför nämnde du inte att din mamma kunde vara i sommarstugan förra gången vi sökte henne?

– Jag hade ingen tanke på det. Hon åker aldrig dit före pingsthelgen eftersom hon är extremt mörkrädd. Hon hatar att vara där när det inte finns folk runt omkring.

Knutas tittade misstroget på bonden som oberört fortsatte med arbetet. För stunden lät han sig emellertid nöjas med svaret och fortsatte:

– Vad har du för förhållande till din mamma?

– Föräldrar är väl som de är.

– Hur då?

– Man har den relation man har. Det är inte så mycket att fundera över.

206

– Och dina syskon?

– Dem träffar jag sällan och ingen av dem har väl nåt större umgänge med mamma just nu. Varken Mats eller Mikaela träffar henne överhuvudtaget och Simon är deprimerad och har stängt av allt runt omkring. Även henne, i den mån han nu lyckas. Mats har ju växt upp i fosterfamilj och har inte haft nån kontakt med mamma. Min syster Mikaela bröt helt med henne för flera år sen.

– Ja, vi vet. Men varför?

– Tja, hon stod väl inte ut. Mamma är... vad ska man säga... väldigt krävande.

– På vilket sätt?

– Hon har inget eget liv och vill att vi barn ska fylla ut hennes tomrum. Hon ringer stup i kvarten och kräver hjälp med olika saker. Det är som om hon söker konstant bekräftelse. Men problemet är att även om man gör en massa så är det aldrig tillräckligt. Man kan alltid åstadkomma mer. Hon lägger sig också i våra liv och har åsikter om precis allt, från vad man ska ge sina barn för namn till vilka gardiner som passar bäst i köket. Jag tror att Mikaela fick nog, helt enkelt. Mamma tar så stor plats och suger så mycket energi. Hon orkade inte längre. Hon har sin egen familj att tänka på, sina egna barn. Hon måste ju räcka till för dem.

Knutas överraskades av bondens plötsliga välformulerade sätt att uttrycka sig. I nästa sekund skämdes han över sina fördomar.

– Och Simon?

– Ja, han har sin egen historia. Han separerade från sin sambo Katrina för ett tag sen och har gått in i en djup depression. Han bor tillfälligt i en kompis lägenhet i Stockholm. Jag tror inte att han orkar med nånting just nu.

– Är det därför han inte svarar i telefon?

207

– Ja, han har en nummerpresentatör och svarar bara om han vet vem som ringer och om han orkar prata.

– Vet du var han finns just nu? Han är tydligen inte i lägenheten.

– Ingen aning. Han försvinner ibland. Ingen vet vart.

– Du då, hur hanterar du din mamma om hon nu är så jobbig?

– Vem har sagt att jag hanterar henne? Jag vet inte om nån kan hantera henne.

Han skakade på huvudet medan han böjde sig fram och kontrollerade identiteten i örat på nästa får som skulle vägas.

– Det är bara elände hela tiden och det tar aldrig slut. När ett problem är avklarat så kommer nästa som ett brev på posten.

– Hur ofta träffas ni?

– Nån gång då och då, oftast genom att jag åker förbi henne och tar en fika. Vi kallpratar i en timme och sen går jag. Jag låter hennes skit rinna av mig som vatten på en gås. För Simon och Mikaela har det varit svårare. De har sugit i sig som svampar. Blivit ledsna och kränkta. De har levt i symbios med henne, mår hon dåligt så mår de dåligt, är hon glad är de glada. Så har det inte varit för mig.

– Hur kommer det sig, tror du?

– Kanske för att jag är äldre och hann lära känna pappa innan de skildes och han försvann. Jag hann få min egen bild av honom och av mamma och deras relation. Jag har hela tiden vetat att allt inte var så ensidigt som mamma försökte framställa det.

– Vad menar du?

– Det går nog inte att förklara. Jag vill inte prata om det där.

208

– Vet du om din mamma har blivit hotad eller om det finns nån som vill göra henne illa?

– Hotad, det har jag inte hört nåt om. Det skulle hon ha berättat i så fall eftersom man får ta del av alla hennes angelägenheter, som att soppan bränt vid i kastrullen eller att hon inte kan hitta sina tofflor.

– Och om nån vill göra henne illa?

Andreas gav Knutas en outgrundlig blick.

– Viljan finns nog, men man ska kunna också, sa han lakoniskt.

Sedan återgick han till arbetet.

Nästa tacka väntade på att få vägas.

Valborgsmässoafton var den vackraste på många år. Det brukade alltid blåsa och vara kallt, men den här dagen sken solen och det var näst intill sommarvärme.

Johan hade arbetat hela helgen med inslag till både Regionalnytt och rikssändningarna och hade därför fått ledigt över valborg. Det hade varit några tuffa dagar sedan Alexander Almlöv avlidit och uppståndelsen kring misshandelsfallet hade under helgen helt överskuggat mordet på Viktor Algård. Stora demonstrationer hade hållits i Visby mot våldet och politikernas brist på ungdomssatsningar: indragningen av fritidsgårdar, kuratorer på skolorna, nedskärningar på dag- och fritidshem, skolan och idrotten. Investeringen i kongresshallen hade återigen hamnat i skottgluggen. Hur kunde man lägga ner mångmiljonbelopp på ett sådant bygge när öns ungdomar inte hade någonstans att ta vägen på fritiden?

Johan och Pia hade gjort reportage som alla hade hamnat i SVT:s rikssändningar. Den reportageserie de planerat fick nu göras i expressfart, samtidigt som den fick mycket mer utrymme i nyhetsprogrammen än de någonsin hade kunnat drömma om. Johan konstaterade med tillfredsställelse att

210

ungdomsvåldet hade hamnat så i fokus att hela landets debattsidor och nyhetsutrymmen handlade om hur man skulle kunna stävja det. Men allt hade ett pris. Den här gången hade det varit en sextonårig pojkes liv.

Han hade knappt hunnit sakna Emma och Elin, men nu när han var på väg till dem på Fårö kunde han nästan inte bärga sig. Han stod på färjan med havsvinden i ansiktet, släppte funderingarna på jobbet och slappnade av. Nu skulle han ägna sig åt det som var allra viktigast, nämligen familjen.

Emmas föräldrar bodde allra längst norrut invid den väldiga sandstranden Norsta Auren. Det vita kalkstenshuset låg för sig självt med endast en låg mur som skilde tomten från stranden. På ena sidan fanns en fågeludde dit ornitologer kom för att studera de stora mängder sjöfåglar som höll till ute på näset. På den andra bredde den flera kilometer långa sandstranden ut sig. Ljus, finkornig och säkert hundra meter bred på sina ställen förde den soldränkta julidagar tankarna till Karibien eller Söderhavet. Den formade sig i en mjuk båge och nådde ända bort till fyren, Fårös yttersta utpost.

När han svängde in med bilen på den skumpiga lilla vägen ner mot huset kom Emma och Elin emot honom, hand i hand. Han stannade bilen och sprang ut. Elins glada ansikte, Emmas varma ögon. Han kramade dem hårt och länge.

Efter middagen med Emmas föräldrar cyklade de gemensamt till Ekeviken, en vacker strand och ett sommarstugeområde någon kilometer söderut. Valborgsmässofirandet var väl förberett och brasan skulle tändas klockan åtta. Människorna som bodde runt omkring hade under den senaste månaden samlat ris till bålet som reste sig högt och ståtligt mitt på stranden. Hela ön engagerade sig i firandet och i de små stånden såldes varmkorv, kaffe och gotländska specialiteter såsom fårfiol, saffranspannkaka, honung och salmbärssylt. Där erbjöds även lammskinn, keramik och annat hantverk som tillverkades på ön. Barnen sprang omkring och kastade så många pinnar de hann på bålet innan det skulle tändas. Kören var samlad i vita studentmössor och sjöng "Vintern rasat ut bland våra fjällar". Inte för att det fanns så många sådana på Gotland, högsta punkten var Lojsta hed och den mätte inte högre än åttiotvå meter över havet.

Johan kramade Emmas hand. Utflykten var välbehövlig.

Sången klingade av och en före detta minister som var sommarboende på Fårö klev upp på den provisoriska scenen. Han var en lång, blond, atletiskt byggd man i fyrtioårsåldern. Ägde alla attribut som en man kunde önska. Han var ungdomlig, charmig och såg dessutom oförskämt bra ut enligt alla kvinnor, Emma inkluderad. Det hundratal personer som samlats blev tysta och blickarna riktades mot scenen. Till och med ungarna och hundarna som stojade omkring stannade upp. Det var något magiskt över den där mannen som i sin blonda kalufs och stickade myströja såg ut som sinnebilden av den fräscha, sportiga, trygga idealmannen. Som klippt och skuren ur en katalog från Dressman, tänkte Johan syrligt.

Naturligtvis gjorde han succé med sitt tal som brann av engagemang och värme. Johan konstaterade roat att Emma såg helt betuttad ut när hon stämde in i applådåskan efteråt.

Exministern avslutade med att kasta den första brinnande pinnen på brasan och kören återupptog sin vårsång. Alla stämde in och det blev en magisk stämning. Elden steg högt mot himlen som hunnit mörkna och lågorna glimmade i det

stilla vattnet. Sången drev ut över havet och Johan fylldes
återigen av glädjen över att ha blivit familjefar. Han hade inte
varit på ett valborgsmässofirande sedan han var liten. Han
höll armen om Emma och kysste henne på huvudet.

Håret doftade nytvättat och brandrök.

Tidig eftermiddag, regnet piskar mot fönsterrutorna. Vaknade nyss av en backande sopbil med sitt envist pipande larm. Den skulle in på den fula bakgata som mitt sovrumsfönster vetter mot.

Obarmhärtigt möte med spegelbilden i badrummet. Min blick är stum, innehållslös. Vill värja mig. Ögonen två svarta stenar, utan skärpa eller liv. Läpparna torra, spruckna av brist på tal eller kontakt med andra. Medicinerna torkar ut min kropp inifrån, huden strävare för var dag, självsprickor i händerna. När kroppen torkar, skrumpnar även hjärnan. Allt oftare får jag svårt att hålla ihop tankegångarna, de flyter samman och bildar obegripliga mönster i mitt huvud, omöjliga att bena ut. I de flesta fall får jag lämna dem där, i en trasslig hög, som ett garnnystan som har tjorvat ihop sig. Ogenomträngligt.

Nu har jag blivit sittande i köket, betraktar sopbilen och aktiviteten runt den brummande kolossen som barrikaderar hela gatan. Även köksfönstren ligger åt det här hållet. Ibland är det befriande att slippa utsikten som slår emot en från alla andra fönster i lägenheten.

Två män i overaller kommer ut från restaurangens bakdörr. Langar stora svarta säckar i sopbilens gap. Tänk om man kunde göra så med sin egen skit, bara dumpa den någonstans och börja om från början, skit man inte har bett om, som bara pådyvlats en, utan att man kan göra ett dyft för att komma undan.

På andra sidan syns människor i fönstren. Kontorsråttor bakom sina skrivbord, stirrande in i dataskärmar. Då och då lyfter de telefonen, lutar sig bakåt och tittar håglöst ut genom fönstret. Dricker sitt eviga kaffe, petar sig i näsan, omedvetna om att de är iakttagna. En man brukar sitta med handen i skrevet när han pratar i telefon. Innanför de prydliga kostymbyxorna. Sedan för han handen till näsan. Människor är vedervärdiga.

Hur lever de där inne på kontoret? Vem är älskad, oälskad? Är någon av dem lycklig? Bryr de sig om varandra? Jag tvivlar. Folk träffas, har middagar och sammankomster av olika slag men hur många vill umgås, i själva verket?

Som mamma och mina syskon. Födelsedagskalas, julaftnar, pliktskyldiga blommor, kommentarer, komplimanger. Förr var det roligt, nu ser jag saker i ett tydligare ljus. Tycker mina syskon över huvud taget om mig? När jag var yngre tog jag det för givet. Inser nu att verkligheten är en annan. För mycket står i vägen. Vi har inte uppmuntrats att ta hand om varandra, att hålla ihop. Mamma har snarare splittrat oss, fått oss att bli tre isolerade öar. Utan förankring i varandra, desto mer beroende av henne.

Självklart var det precis så hon ville ha det.

Jag vet inte hur många gånger som hon pratat om hur fantastisk syrran är och hur hon älskar henne. Över allt annat.

Hon är min ögonsten, sa hon till mig och tittade mig djupt i ögonen. Vad är då jag? Vad förväntar hon sig för svar på det? Vad vill hon att jag ska säga, känna, tycka?

Å ena sidan detta, å den andra sidan beklagar hon sig högt och ljudligt. *Tänk att jag kan för mitt liv inte begripa hur han kunde säga så till mig, sin egen mor. Kan du förstå det? När jag var hemma hos honom och skulle äta middag så bad jag om saltgurka och då sa han bara – det finns i kylen. Kan du tänka dig? Jag skulle resa mig upp och gå och rota igenom kylskåpet själv! Så skulle jag aldrig behandla min egen mamma. Eller, jag bad bara din syster om att jag vill ha tillbaka den där mattan hon fick av mig för den passar ju så bra i vardagsrummet nu när jag har målat om, men då blev hon sur och menade att hon hade fått den. Herregud, så mycket som jag har ställt upp och är detta tacken?*

Ena dagen ska jag lyssna på hur bedårande mina syskon är, den andra förväntas jag trösta henne för att de varit dumma och framförallt otacksamma. Samma visa, år ut och år in. Den tar aldrig slut.

Ovanpå detta ska vi tvingas stå ut med hennes ständiga påminnelser om vad hon gjort för oss. Vi ska vara jävligt tacksamma. Allt som hon offrat.

Mamma har gjort fullständigt klart att hon hade kunnat vara en stjärna om det inte vore för oss. Hon har ju sjungit i radio. Om hon inte offrat sin karriär för sina barn hade hon kunnat vara en Birgitta Andersson eller en Lill Lindfors. Hon som var så rolig och talangfull när hon var ung. En riktig tea-terapa. Och sjunga kunde hon. Hon var helt enkelt fantastisk – ingen av hennes syskon kunde mäta sig med henne. Hon var speciell. Men ingen såg hennes storhet, ingen upptäckte hennes stjärnglans. Hon fick ju ingen uppmuntran hemifrån. Och vi tyckte förstås också synd om henne. Vad hemskt att ingen förstod vilken lovande artist mamma var. Vilket öde att föda oss och tvingas stanna på den ödsliga ön i Östersjön, långt från glamour och huvudstadens möjligheter. Att det hade gått förhållandevis bra för oss, det vill säga att vi fick jobb och inte knarkade, var helt och hållet hennes förtjänst. Hade inte hon offrat sig som ett lamm på blodsaltaret och förspillt sin unika begåvning på tre snoriga ungar så ...

Trots hennes självupptagenhet hyste jag i många år en beundran för henne. Jag hatar dubbelheten som jag än i dag inte förmår bemästra.

Jag ser henne framför mig, vackra mamma. Som kramade mig, kysste mig, älskade mig. Och i nästa sekund krossade mig. En kommentar, ett ögonkast, en min av ogillande. Hon hade drömmar, hon uppmuntrade mig att resa, uppleva saker, njuta av livet. Hon var sjuk, men förhörde mig på läxan. Strök mig över håret. Kokade choklad. Vad blev det av allt?

Vi spexade tillsammans medan vi städade och mamma skrattade så hon vek sig dubbel när jag dårade mig med dammsugarslangen. Jag älskade att spela pajas för henne, det bästa som fanns var när jag fick henne att skratta.

Hon brukade dansa till Miriam Makebas "Pata, pata" i vardagsrummet. Svänga runt och snurra, blunda och nypa i kjolen. Hon älskade Mikis Theodorakis, Lill Lindfors och Gösta Linderholm. Hon sjöng högt när hon städade. Söt och piffig med det tjocka blonda håret chict invirat i en scarf, de mörka ögonbrynen, de rosa läpparna.

Hon hade alltid ont om pengar, men tyckte om att duka vackert och göra det mysigt med tända ljus. Hon lagade capricciosa, bakade bullar och bokade en resa till fjällen som vi egentligen inte hade råd med. Hon ville att vi skulle lära oss att åka skidor, sa hon.

217

På lördagarna åkte vi in till stan, gick i affärer och på konditori. Mamma köpte tuffa kläder till sig själv på boutique. Vi barn fick Coca-Cola med sugrör och kokosbollar. Hon skrattade högt, sjöng alltid i bilen, gjorde goda skinkmackor till stranden, jag älskade att lägga örat mot hennes platta mage, den gurglade alltid så lustigt. Och hon luktade så gott. Skinnet under hennes haka var alldeles lent och hennes kramar varma.

Hennes gråt var hjärtskärande och klöv mig i flera delar.

När jag var liten tyckte jag att hon var perfekt, en fulländad människa. Jag skämdes aldrig för henne. Och alla tyckte att hon såg så ung ut. I mina ögon var hon världens finaste.

Jag vet inte vad som hände sedan.

När mamma ringer fylls jag av sorg, ömhet och vämjelse. Måste hålla igen för att inte slänga på luren när jag hör att det är hon, anstränger mig för att orka genomlida samtalen. Svarar fåordigt. Låter henne ösa på med sin vanliga sörja. Håller luren flera decimeter från örat, försöker tänka på annat. Men tålamodet tryter. Samtalen tenderar att bli kortare, jag står inte ut med att höra hennes röst.

Snart kommer jag inte att kunna behärska mig längre.

Den ofrånkomliga vetskapen mullrar i bakhuvudet som ett tilltagande åskväder. Jag fasar för vad som ska hända när ovädret bryter ut. När blixtarna korsar himlen och regnet är över oss. Då kommer det inte längre att finnas någon återvändo. Då är allt hopp ute.

Och då återstår bara en sak att göra för att bli fri.

Knutas hade firat valborgsmässoafton tillsammans med familjen i stugan i Lickershamn. De hade tagit det lugnt, spelat kort, eldat i kakelugnen, ätit gott och promenerat utefter havet. Bara de fyra.

I vanliga fall brukade de fira valborg tillsammans med goda vänner, men i år hade han och Line avböjt allt sällskap. Till hans gamla föräldrars stora besvikelse gällde det även den traditionella förstamajmiddagen på deras gård. Barnen fick inte heller ta med sig några kompisar som de brukade. Han och Line var överens om att de behövde avskärma sig från allt annat och bara vara tillsammans.

Knutas hade varit spänd innan de kom iväg och våndats över hur det skulle gå, tvekat om hur han skulle bete sig för att vinna tillbaka Nils förtroende. Om det ens gick. Den bottenlösa förtvivlan han först känt efter deras uppträde hade gradvis sjunkit undan. Men Nils ord hade skurit djupa sår i honom och han undrade om de någonsin skulle läka.

Under de dagar som gått efter bråket var de artiga, men reserverade mot varandra. Han visste inte om det vore klokt att ta upp saken igen, kanske skulle det bara förvärra alltihop.

Han önskade att Nils skulle ta första steget till en försoning. När barnen var mindre hade han alltid pratat ut med dem efteråt om han blivit arg på dem eller om de hade bråkat. Det var hans ansvar som vuxen att göra det bra igen. Försoning hade varit så viktig, tyckte han. Men nu var han osäker på vad som var bäst. Det var som om allt hade vänts upp och ner. Innerst inne tyckte han nog att Nils kunde bett om ursäkt för sina brutala ord. Om han inte menade vad han sa förstås, det kanske han gjorde? Knutas blev illamående vid tanken.

Han undrade varifrån bristen på förtroende kom. Han och Line grälade sällan, han hade varken missbruksproblem eller var våldsam. De bodde fint, han skötte sitt jobb och betalade räkningarna. Maten stod på bordet varje dag och de gick alltid på föräldrasamtalen i skolan. De åkte på semester varje år och hade sommarstuga. De sa sällan nej om barnen ville ha pengar till bio eller ta hem kompisar. Hur mycket kunde man egentligen begära av en förälder?

Han tyckte själv att han lyssnade på barnen, han frågade alltid hur de haft det i skolan och hur träningen hade gått. Man kunde väl inte ha kuratorssamtal varje kväll på sängkanten med ungarna, det var ju ohållbart.

Uppenbarligen var Nils bild en annan, kanske även Petras. Ännu hade han inte vågat fråga sin dotter rätt ut. Allt han kunde göra fortsättningsvis var att försöka vara en så bra pappa som möjligt. Utan att tränga sig på.

Sedan fick väl tiden göra sitt.

Valborgsmässohelgen hade i alla fall varit lugn och trivsam. Inga gräl hade uppstått, inte ens den minsta irritation mellan barnen. Som om de också var spaka efter det som hänt. De spelade Plump på kvällarna och Nils skrattade till och med lite grann. Knutas blev glad varje gång, osäker i nästa sekund. Han registrerade varje gest och ögonkast, tolkade in olika saker.

Det var svårt att koppla av.

Första dagen efter ledigheten promenerade Knutas från polishuset ner till Veronika Hammars bostad på Tranhusgatan. Vädret var soligt och Visbys gator låg nästan tomma. Den här årstiden var staden som allra vackrast, tänkte han när han passerade den högt liggande Klinten och utsikten över havshorisonten och i förgrunden den mäktiga domkyrkan i gyttret av pittoreska hus, medeltida ruiner och vindlande gränder. Han tog domkyrkotrappan och fortsatte in på Biskopsgränd, förbi S:t Clemens ruin och in på Tranhusgatan som löpte längs med Botaniska trädgården. Hon bodde i ett litet, vitt, putsat hus som såg ut att ha byggts kring förra sekelskiftet. Det var tomt på gatan. Bevakningen av henne hade dragits in dagen före, trots att han försökt övertala länspolismästaren om att fortsätta veckan ut. Svaret var det vanliga. Inga resurser.

Knutas bävade för mötet med tanke på Veronika Hammars utbrott senast. Ändå valde han att gå dit ensam. Om de varit två hade hon antagligen bara känt sig i underläge, och han hade insett att med den här kvinnan måste man gå ytterst försiktigt fram. Han hade ringt dagen före och förvarnat om sin ankomst. Då hade hon låtit vänlig och tillmötesgående, som om hon glömt hur deras senaste möte slutat.

Han tog sats och ringde på. Inget svar. Han fick ringa fyra gånger och var just på väg att ge upp när dörren försiktigt öppnades på glänt.

– Jag ville se efter vem det var först. De har ju dragit in bevakningen, de snåljåparna, förklarade Veronika Hammar och tittade på honom med glanslös blick. Håret hängde tunt och stripigt utefter sidorna. Hon var klädd i fula mjukisbyxor och en gammal fläckig kofta där bandet kring midjan saknades. Den vanligtvis så eleganta kvinnan såg ut som om hon hade slocknat.

Han hälsade artigt med en förhoppning om att det inte syntes utanpå hur illa berörd han blev av hennes uppenbarelse. Hon visade in honom i huset, och de gick rakt igenom ett gulligt vardagsrum med takbjälkar och blommiga gardiner och ut på altanen på baksidan. Solen letade sig in på den lilla gården och de slog sig ner vid utebordet.

– Hur mår du?

Hon log blekt.

– Jodå, jag överlever. Förhoppningsvis.

Knutas iakttog henne under tystnad när hon hällde upp kaffet från en gammaldags rosablommig porslinskanna. Han noterade att koppen han fick var lite smutsig. Han tog ändå en slurk, bara för att samla sig. Veronika Hammar verkade närmast sinnesförvirrad. Kaffet var svagt och knappt ljummet.

– Hur har du haft det sen du kom hem från sjukhuset?

– Jo, tack. Det är bra.

Knutas rynkade ögonbrynen. Intrycket Veronika Hammar gav signalerade något helt annat.

– Har du märkt av nån främmande person eller annat misstänkt?

– Det är så många konstiga, opålitliga människor här omkring så det kan du inte tro. Sen jag kom hem från sjukhuset vill jag inte gå ut.

– Hur klarar du dig då?

– Jag ber min son handla, Andreas. Han är ju det enda barn jag har just nu här på Gotland.

Det ryckte kring hennes mun. Hon grävde fram ett paket cigaretter ur fickan på koftan, tände en. Knutas märkte en darrning på handen.

– Ja, det var faktiskt barnen jag tänkte prata med dig om, sa han. Hur skulle du beskriva er kontakt?

– Barnen är det jag lever för och så har det alltid varit. Det är fantastiskt att jag har dem, jag är så glad för det. Annars hade jag nog gått under för länge sen.

Hon tittade stint på honom.

– Mina barn och jag är väldigt nära varandra, vi har en speciell kontakt.

Knutas skruvade på sig.

– Om vi börjar med Andreas, hur ser du på er relation?

– Mycket bra. Han är min trygghet. Jag kan alltid luta mig mot honom, vad som än händer. Han har ju varit ensam i alla år sen han flyttade hemifrån, men vi har haft varandra och det har inneburit ett stort stöd för mig.

– Har du också varit ensam i alla år, menar du?

Veronika Hammar tittade ogillande på honom.

– Mer eller mindre sen skilsmässan. Ja, det tycker jag nog att man kan säga.

– Du hade ju ett förhållande med Viktor Algård?

– Men snälla nån, det varade faktiskt bara i ett par månader. Vi hade just träffats.

Knutas tittade forskande på henne. När de sist talades vid

hade hon utmålat Viktor som sin stora kärlek och hävdat att de var på vippen att gifta sig.

– Och de andra? Simon?

– Han är den som står mig allra närmast, vi tänker så lika, Simon och jag. Vi förstår varandra.

– Han bor ju i Stockholm nu …

– Det är bara tillfälligt. Han var tvungen att komma bort förstår du, från den där hemska polskan han var tillsammans med, eller var kom hon ifrån. Ungern? Hon var vidrig mot honom, rent ut sagt. Det begrep jag från början, att det där aldrig skulle hålla.

– Varför då?

Hennes läppar smalnade, blicken var närmast hätsk.

– Ja, snälla nån. För det första var de varandras motsatser. Simon är en mjuk och öppen människa, precis som jag. Den där Katrina var hård, tyst och inbunden. Sur och tvär. Nej usch, jag är verkligen glad att han kom ifrån henne.

– Han mår dåligt vad jag förstår.

– Inte undra på det. Hon har ju brutit ner honom under de här åren. Hon var förskräckligt dominant, han skulle bara dansa efter hennes pipa. Hon styrde och ställde i det där huset, det förstod man så fort man klev innanför dörren. Han repar sig nog snart och då kommer han tillbaka hit där han hör hemma. Jag har sagt att han kan få bo hos mig, jag har ju plats.

– Hur ofta har ni kontakt?

– Vi pratar med varandra varje dag i telefon.

– Varje dag?

– Ja, vi har en speciell relation. Vi förstår varandra, befinner oss på exakt samma våglängd. Ja, det är nästan otäckt hur lika vi är. Han begriper alltid vad jag menar. Men det är inte bra att han är där borta i Stockholm alldeles ensam.

– Om ni nu har det så bra, varför kan han inte flytta in nu då? Då skulle han ju vara närmare sin egen son. Vad är det som hindrar honom?

– Men snälla rara, det är väl inte så konstigt? Simon är inne i en depression, han behöver få vara i fred ett tag. Men snart är det över och då kommer han hit, det är jag helt övertygad om.

– Hur länge har han varit borta?

– Jag kommer inte riktigt ihåg. Jo, sen i julas är det nog.

– Över fyra månader alltså.

Veronika Hammar sa inget. Hennes mun var ett smalt streck.

– Och din dotter Mikaela – hur ofta träffas ni?

– Ja, Mikaela. Hon suckade lätt och log igen. Min lilla dotter. Hon går sina egna vägar.

– Hon bor ju långt härifrån, är det svårt att hålla kontakten?

– Svårt? Varför skulle det vara svårt? Det finns faktiskt människor som har sina barn i Australien.

– Vad jag förstår träffas ni inte?

– Vad menar du? Som om jag inte skulle ha kontakt med min dotter? Det var det dummaste jag har hört.

Hon reste sig tvärt och började plocka bort kopparna. Utan ett ord försvann hon med porslinet in i huset. Knutas avvaktade medan han försökte räkna ut hur han skulle gå vidare, utan att riskera ett nytt utbrott. Solen värmde och han svettades i kavajen. Kände sig plötsligt instängd på den trånga gården, ville bara därifrån. Det fanns något obehagligt över Veronika Hammar. Hon var oberäknelig, det var omöjligt att förutspå nästa steg. Varför förnekade hon blankt att relationen med dottern var bruten?

Längre hann han inte i sina förvirrade tankar innan hon

dök upp i dörröppningen. Ansiktet var stramt, hon rörde
inte en min.

– Jag vill att du går nu, sa hon stelt.

– Men jag har fler frågor, invände han. Hur är det med din
äldste son, Mats?

Veronika Hammars blick svartnade. Hon kippade efter
luft innan hon återfick målföret.

– Hör du inte vad jag säger? Gå nu, ut ur mitt hus, väste
hon så att saliven stänkte.

Knutas stirrade förbluffad på henne. Ögonen blottade en
skärva av vansinne. Den här kvinnan är inte riktigt klok,
tänkte han.

Han reste sig och smet förbi henne.

– Tack för kaffet, sa han med låg röst.

Direkt efter mötet med Veronika Hammar ringde Knutas upp Karin. Arbetet flöt på och hans närvaro behövdes inte för tillfället. Han beslutade sig för att hämta bilen vid polishuset och åka ner och ta en titt på brandplatsen vid Holmhällar. Den tekniska undersökningen var avslutad, men inget nytt hade framkommit, förutom att man stärkts i uppfattningen att branden var anlagd. Den hade troligen börjat i köket, vilket tydde på att gärningsmannen till och med varit inne i stugan.

Knutas var frustrerad över att det inte fanns en tillstymmelse till misstänkt. Gärningsmannens skugga dansade framför honom utan att han kunde tyda rörelserna. Ett mönster saknades. Först ett giftmord som av allt att döma var ett misstag, sedan en misslyckad mordbrand. Det var ingen rutinerad eller skarpsinnig mördare de hade att göra med. Snarare tydde omständigheterna på att det var en person som agerade i affekt, någon med stark personlig koppling till Veronika Hammar. Kanske ett av barnen, tänkte han. Annars har hon en stark relation till någon som vi inte alls känner till. Han måste prata med henne igen. Därefter barnen. Han ville helst träffa alla fyra personligen. Sonen Simon svarade fortfarande inte i telefon och både Mats och Mikaela var alltjämt bortresta.

Knutas körde kustvägen söderut. Vädret var vackert och gav en föraning om den stundande sommaren. Björkarna hade musöron och vårblommor stack upp vid vägkanterna.

När han närmade sig avfarten mot Holmhällar kom han att tänka på Sten Bergström. Hade han förhörts igen? Han måste komma ihåg att kolla det med Rylander. Viktor Algårds gamle konkurrent bodde bara någon kilometer från stugområdet där branden utbröt. Kunde det vara en tillfällighet? Bergström kanske hade mer i bagaget, förutom företagsbråket. Han var jämnårig med Veronika Hammar och praktiskt taget granne med henne på landet. Han och Karin hade bara uppehållit sig vid bråket kring Algårds och Bergströms affärer i sitt förhör med honom. Kanske var det något helt annat som låg bakom?

Ytterligare en person som snurrade i huvudet var den före detta hustrun Elisabeth Algård. Knutas hade redan efter det inledande förhöret praktiskt taget avfärdat henne som potentiell mördare. Visserligen hade hon alibi för branden, men hade han ändå släppt tankarna på henne för lätt? Han var väl medveten om att det var ödesdigert att låsa sig i början av en utredning.

Polisen i Stockholm hade äntligen fått tag i, och förhört, Veronika Hammars son Simon, men det hade inte gett något särskilt, förutom att de hade fått intrycket av att han var för vek och i för dåligt psykiskt skick för att kunna begå ett mord. Också en slutsats, tänkte Knutas sarkastiskt. Annars brukar det vara precis tvärtom. Att folk mördar just därför att de är i så dåligt psykiskt skick.

Före Holmhällars pensionat tog han av in på en liten skogs-väg. Området kring stugan var fortfarande avspärrat.

En lång stund klev Knutas omkring bland bråten på Veronika Hammars tomt. Allt som var kvar av stugan var den sotiga grunden. Han tittade bort mot havet. Det syntes inte från platsen där han stod, men han kunde höra bruset ända upp hit. Knutas försökte mana fram bilden av Veronika Hammar i den här miljön. Hennes förvridna ansikte kom för honom, utbrottet hon fått på lasarettet. En psykiskt instabil kvinna. Oberäknelig och kanske farlig. Kunde det vara hon själv som låg bakom? Han lekte med tanken medan han klev omkring bland förkolnade husrester. En kvinna hade mycket väl kunnat begå mordet på Viktor Algård. Ett gift-mord krävde ingen fysisk styrka och det var snabbt, oblodigt och effektivt.

Veronika Hammar hade ett minst sagt komplicerat förhål-lande till sina barn. Andra nära relationer verkade saknas. Föräldrarna var döda, likaså hennes före detta make som var pappa till tre av barnen. Fadern till äldste sonen Mats hade visat sig vara okänd när Karin kontrollerat förhållandena närmare. Veronika Hammar hade varit på festen och hade en ny relation med offret. Hennes konstnärsateljé låg på den gård där Viktor Algård haft sin övernattningslya. Hon hade varit på brottsplatsen, hennes fingeravtryck fanns överallt. Hon hade kunnat iscensätta episoden med drinken. Visser-ligen hade bartendern bekräftat att en man bjudit henne på en drink, men vad var det som sa att Veronika Hammar inte hade bett någon göra det och preparerat drinken själv?

Och motiv kunde mycket väl finnas. Kanske hade Viktor Algård ändrat sig och bestämt sig för att stanna hos hustrun. Att svartsjuka låg bakom mord var inget ovanligt.

En rasande, förorättad, sårad och kränkt kvinna som dessutom var psykiskt labil kunde säkert ta sig till med i stort sett vad som helst. En sådan människa kunde bli riktigt farlig.

Han såg ut över förödelsen. Hade Veronika Hammar gått så långt att hon offrat sin egen stuga för att sätta griller i huvudet på polisen?

Frågorna hopade sig i skallen.

Missmodig promenerade han tillbaka till bilen.

När Knutas kom tillbaka efter sin utflykt till Holmhällar intog han en sen lunch bestående av två ostsmörgåsar och en kopp kaffe vid skrivbordet. Han snurrade sakta på stolen medan han stoppade pipan. Försökte samla sina intryck från dagen, tankarna gick till Veronika Hammars märkliga person.

Två av hennes söner hade förhörts. Ingen av dem hade alibi. Vad kunde sonen Andreas ha haft för motiv?

Kontakten med modern verkade i och för sig ganska kylig och sporadisk, men inte mycket värre än i många andra familjer. I förhören hade han varit ganska fåordig.

Den frånvarande systern Mikaela hade Karin äntligen lyckats få tag på via en hjälparbetare i Bolivia. Hon verkade ha lämnat både Gotland och sin mamma bakom sig helt och hållet. Flera år tidigare hade hon brutit kontakten och inte återupptagit den. Hon orkade helt enkelt inte längre med sin mammas offerroll och martyrskap, som kletade ner hennes eget liv och hade så gjort ända sedan hon var liten. Av barnen var det hon som var mest öppen och förklarade att hennes mamma höll på att förinta henne med sin gränslöshet och stod i vägen så att hon inte kunde leva sitt eget liv. Ett anständigt liv, som hon uttryckte saken.

Mikaela hade skurit sig som tonåring och även lidit av ätstörningar i flera år. Hon ville inte riskera att få psykiska problem igen, nu när hon hade egna barn att ta ansvar för.

Eller hade hon till slut bestämt sig för att hämnas? Hon hade varit bortrest ända sedan hennes mammas stuga brann. Kunde det vara en tillfällighet eller var det i själva verket en del i en noga uttänkt plan? Fortfarande hade han inte träffat henne personligen. Hon väntades hem dagen därpå. Även äldste sonen Mats skulle komma hem från sin utlandsresa inom några dagar.

Den yngste sonen Simon var kanske ändå den som låg närmast till hands. Medan han slutit sig som en mussla när kollegerna i Stockholm försökt förhöra honom, hade hans före detta sambo Katrina varit desto mer öppenhjärtig. Hon berättade att hon lämnat honom några månader tidigare därför att hon ansåg att hans mamma tog för stor plats i deras liv och att han var för svag för att frigöra sig. Han prioriterade hela tiden sin mamma framför henne och sonen Daniel. Till sist hade hon insett att det aldrig skulle förändras. Han flydde då till Stockholm, bodde i en lånad lägenhet och gick in i en djup depression.

Knutas kände ett starkt behov av att träffa Veronika Hammars övriga barn. Kroppen kliade av otålighet.

Han tittade på klockan. Kvart över fyra.

Han skulle hinna.

Jag kommer aldrig att glömma den där dagen. Dagen då allt rasade. Jag hade lämnat jobbet vid fyra för att hinna hämta Daniel på dagis före halv fem. Det var redan mörkt ute. Julen närmade sig och adventsstjärnorna lyste i alla fönster. Till barnens glädje hade det snöat i flera dagar. Daniel var alldeles slut, de hade varit ute och lekt hela dan. Åkt pulka i den lilla backen bakom daghemmet och gjort snögubbar som stod på parad på den översnöade gården.

Han fick sitta i vagnen hela vägen till affären. Vi handlade på Konsum, jag skulle laga falukorv och makaroner. När vi kom hem satte jag honom framför en tecknad film på TV medan jag lagade mat. Katrina kom hem strax innan vi skulle äta. Hon såg trött och blek ut, när jag kramade henne i dörren, men vem gjorde inte det så här års?

Efter maten lät hon mig sitta medan hon dukade av och fyllde diskmaskinen. Jag betraktade henne under tystnad. Vi talade inte så mycket med varandra. Jag tyckte det fungerade bra ändå. Jag arbetade i en verkstad och hon var personlig assistent. Vi bodde i en lägenhet på Bogegatan och levde ett stillsamt liv. Katrina kom från Ungern och hade bara varit

234

i Sverige i ett halvår när vi träffades hemma hos en arbets-
kamrat till mig. Hon var mörk och vacker. Det första jag lade
märke till var hennes leende. De röda läpparna och svarta
strecken kring ögonen. Gotländskorna målade sig inte så
mycket. Hon var lång och slank och log mot alla. Kanske
allra mest mot mig. Jag hade inte haft några längre förhål-
landen tidigare, inte varit särskilt intresserad. Jag tyckte om
att få rå mig själv utan att någon lade sig i. Jag njöt av tystna-
den i lägenheten, de ensamma middagarna framför TV:n. På
jobbet skötte jag mitt. Jag klarade mig utmärkt och det var
ingen som klagade. Större delen av min fritid ägnade jag åt
gymmet. Där tillbringade jag timmar var och varannan dag.
De blanka maskinerna var mina bästa vänner. Jag tog i så
det skrek i kroppen, njöt av ansträngningen när musklerna
spände sig till det yttersta. Då blev jag tom i huvudet och
kopplade av, helt och fullt. Styrketräningen var min livlina.
Kanske var det min kropp Katrina föll för, kan jag inte låta
bli att tänka fast jag vet att det låter bittert och att det med
största sannolikhet inte är sant.

När vi hade nattat Daniel drack vi kaffe som vanligt fram-
för TV:n. Omedelbart efter att den svenska dramaserien som
vi följde var slut, reste Katrina sig ur soffan och stängde av.
Jag har något jag vill prata med dig om, sa hon. Det spratt
till i magen av glädje. Min första tanke var att hon väntade
barn igen. Jag ville så gärna ha ett barn till och gick bara och
väntade på att det skulle ske. Ett syskon till Daniel. Kanske
en liten flicka. En dotter. Vi hade inte börjat använda preven-
tivmedel igen efter Daniel och han skulle snart fylla tre. Jag
minns att jag slöt ögonen en kort sekund, ville behålla ögon-
blicket i mitt hjärta. Mina ögon hann tåras innan hon var till-
baka i soffan bredvid mig. Hon verkade ha svårt att få fram
orden. Tog min hand i sin och såg allvarligt på mig. Hennes

ansikte var nästan genomskinligt. Jag genomfors av ömhet. Blicken drogs till hennes midja. Den hallonröda T-shirten var instoppad i jeansen. Hon hade ett svart smalt skärp. Lika smärt som vanligt. Inget syntes. Än. Så bröt hon tystnaden. Orden kom sakta, dröjande. Som om de satt långt inne.

– *Det här går inte längre.*

Jag stirrade oförstående på henne. Hon flackade med blicken och svalde hårt. Harklade sig innan hon fortsatte.

– *Jag tycker så mycket om dig, det är inte det, men vi är för olika. Du prioriterar inte mig och Daniel, du låter din mamma ta för stor plats. Hon äter sig in i våra liv, jag kan inte ha det så här längre. Jag måste hela tiden dela dig med henne. Så fort hon kallar på hjälp så åker du dit som ett skott. Varje helg kommer hon hit. Hon förpestar vår tillvaro och låter oss aldrig vara i fred. Ibland pratar du med henne fyra, fem gånger i telefon på en enda dag. Jag får ont i magen varje gång det ringer, för jag är rädd att det ska vara din mamma. Jag har försökt säga det här till dig så många gånger, men du tar mig inte på allvar. Du viftar bort det. Du låter henne inkräkta på oss, du låter henne vara otrevlig mot mig och du låter dig styras av henne. Jag orkar inte längre. Vi får ju inte ens åka på semester i fred. Du är en jättebra pappa till Daniel, det är inte det. Verkligen inte.* Hon gav min hand en lätt tryckning som för att understryka sina ord. *Det handlar om att du varken verkar vilja eller kunna frigöra dig från din mamma så att du kan leva ditt eget liv. Jag säger inte att du ska strunta i henne, bara förminska henne. Inte låta henne få ta så stort utrymme. Men du lyssnar inte och nu vill jag inte längre. Jag har gett upp. Du tycker att hon är viktigare än jag. Du ser henne som din främsta familj och inte mig och Daniel. Jag har blivit besviken så många gånger och det blir aldrig en förändring. Jag har vridit och vänt på allt, tänkt att vi ska hålla ihop för Daniels skull, men jag har kommit fram till att han inte mår bra av att det är så dåligt mellan oss. Sånt känner barn. Vi kan dela på vårdnaden, det kommer att gå bra. Han kan bo varannan vecka hos dig och varannan hos mig. Det viktiga är att vi skiljs som vänner.*

Orden strömmade ur henne, som om hon i förväg bestämt sig för exakt vad hon skulle säga. Inövat som om hon höll ett jävla tal. Jag satt som paralyserad. Orden var stridsvagnar, massakrerade mig.

– Jag har tänkt på det här så länge och jag har verkligen bestämt mig. Det här går inte längre, upprepade hon. Jag flyttar till Sanna nu i kväll, jag har redan packat en väska. Hon nickade ut mot hallen. Så får vi prata mer i morgon. Jag har tagit ledigt från jobbet några dagar och tar Daniel med mig nu så att du får tänka över det här i lugn och ro. Hon tryckte min hand en gång till som om hon sökte mitt godkännande. Att jag var med på noterna. Att jag ville samma sak. Mina läppar var torra, ihopklistrade. Inte ett ord kom över dem. När hon stängt dörren satt jag kvar i soffan i exakt samma ställning, stirrade med torra ögon på TV:ns döda ruta.

Och min värld rämnade.

Planet landade på Bromma flygplats halv sex på efter-
middagen. Karin hade omedelbart tackat ja till att följa
med till Stockholm, vilket gladde Knutas. När känsliga
förhör skulle göras var det tryggast att vara två och helst till-
sammans med någon man litade på. Kollegerna i Stockholm
kände han för dåligt. Han hade fått tag i Mikaela Hammars
man och förvarnat om att de skulle dyka upp dagen därpå.
Det gick bra, trots att hon väntades hem från sin resa i Syd-
amerika samma dag. Planet skulle landa redan klockan sju
på morgonen. Knutas och Karin skulle hyra en bil och köra ut
till Vätö som låg drygt tio mil från Stockholm. De bestämde
att ses vid lunchtid.

Kvällssolen lyste röd över huvudstaden. Taxin sniglade sig
fram genom city. Trafikrusningen var igång och de hade gott
om tid att betrakta staden. Överallt satt folk på utekaféer
och restauranger.

– Det är inte klokt vad med människor, vilket folkliv, sa
Knutas.

– Snart ser det likadant ut i Visby.

Karin log skevt mot honom. Hon verkade mer avslappnad
än vanligt.

238

De blev avsläppta vid en pampig fastighet mitt på Kornhamnstorg i Gamla stan. Runt torget låg ett pärlband av utomhuskrogar där sommarklädda människor njöt i kvällssolen med ett glas efter jobbet. Mitt framför dem låg Skeppsbron där en Djurgårdsbåt just lagt ut mot den grönskande ön på andra sidan vattnet. Vid Karl Johan-slussen låg några tidiga entusiaster med sina fritidsbåtar och väntade på att få passera genom slussporten och sänkas till Saltsjöns nivå. De skulle väl ut i skärgården över helgen i det fina vädret.

Knutas tryckte in portkoden. De tog hissen fyra trappor upp.

Simon Hammar såg yngre ut än sina trettiotre år, tyckte Knutas. Han var påfallande lik sin mamma, klädd i slitna jeans och en skrynklig T-shirt.

– Kom in, sa han utan entusiasm. Han gick före in i lägenheten.

Det var en typisk sekelskifteslägenhet med en enorm takhöjd, stuckatur, höga golvlister och trägolv som sluttade kraftigt till följd av sättningar i huset. Längs hela ena sidan låg rummen i fil utefter vattnet med en fantastisk utsikt över både Mälaren och Saltsjön. Både Karin och Knutas gjorde stora ögon när de klev in i det magnifika vardagsrummet. De ställde sig vid fönstret och betraktade vyn utanför.

Här befann man sig verkligen i Stockholms mittpunkt. Karin, som kunde mycket mer om huvudstaden än Knutas, pekade ut det röda karaktäristiska Laurinska huset med tinnar och torn på Mariaberget, Södra teaterns gula fasad uppe vid Mosebacke torg och Karl XIV Johan på sin häst som stolt pekade ut över staden.

Hela möblemanget i det säkert femtio kvadratmeter stora vardagsrummet utgjordes av en soffa, ett soffbord och två fåtöljer. En kakelugn i ena hörnet. Det var ekande tomt. De slog sig ner kring bordet. Trots att det var mycket varmt och kvavt i lägenheten erbjöd han dem ingenting att dricka.

Simon Hammar tände omedelbart en cigarett.

– Kan man öppna ett fönster? frågade Knutas.

– Det går inte. För mycket ljud.

Knutas och Karin utbytte blickar. Det här skulle inte bli lätt. Knutas valde att gå rakt på sak.

– Vet du om din mamma har några ovänner – nån som kan tänkas vilja skada henne?

Simon Hammar såg på de båda poliserna med outgrundlig blick.

– Nej, varför då?

– Hon är troligen i fara. Vi har anledning att misstänka att nån är ute efter henne. Hennes pojkvän Viktor Algård mördades av allt att döma av misstag. Mördaren kan ha varit ute efter din mamma. Sen utsattes hon för mordbrand.

– Viktor Algård – var han och mamma ihop?

– Ja.

Simon Hammar log snett och skakade på huvudet.

– Det visste du inte? sa Karin.

– Nej, det har hon inte sagt nåt om.

– Så ni har kontakt i alla fall?

– Jo då, per telefon bara just nu, men det var ett tag sen.

– Du har inte själv hört av dig?

– Nej.

– Kan du beskriva din relation till din mamma?

Den yngre mannen ryckte till så pass att han tappade aska i soffan.

– Varför ska jag göra det?

– Därför att det är relevant för oss.

Simon Hammar stirrade misstroget på Knutas. Han satt tyst så länge att de båda poliserna började skruva på sig.

240

– Och vad har jag med saken att göra?

– Vi har inte påstått att du har nåt med saken att göra, men vi vill veta hur du ser på din mamma.

– Vad fan menar ni? frågade han hetsigt. Hur jag ser på henne?

– Lägg av, sa Karin irriterat som tröttnat på Simons aversion. Vi håller på att utreda flera allvarliga brott här som i mångt och mycket har riktat sig mot din mamma. Nu vill vi veta vad ni har för relation. Det är bara att svara på frågan.

– Och hur fan ska jag kunna förklara det på fem minuter? Vad ska jag säga – hur ofta vi träffas? Pratar i telefon? Vad är det för måttstock? Vad säger det?

– Det har inte undgått oss att din syster har brutit kontakten. Varför har hon gjort det?

– Mikaela ville väl få chansen att leva sitt eget liv, sa han tyst.

– Vad menar du med det?

– Mamma har en förmåga att kväva sina barn. Mikaela gjorde det enda rätta.

– Och varför har inte du gjort samma sak?

– Jag är väl för svag, antar jag. Eller för stark, beroende på hur man ser det.

– Hur menar du då?

– Jag tror att jag, trots allt hon river ner hela tiden, när en ynka liten förhoppning nånstans att det ändå ska bli bra till slut. Att vi ska kunna mötas och försonas och framförallt att hon nån gång ska bli lycklig. Happy ending.

Rösten sjönk undan. Det blev tyst en stund. Simon tände en ny cigarett.

– Du tror väl ändå inte att du ska kunna ordna upp hennes liv och göra henne lycklig? frågade Karin.

– Jag har nog trott det. Typ i hela mitt liv.

– Har du en cigarett? bad Karin. Och gärna en kall öl. Nu öppnar jag fönstret vare sig du vill eller inte.

De blev sittande i lägenheten i flera timmar. Simon blev efterhand överraskande öppenhjärtig och berättade om alla svårigheter, både under uppväxten och i nuet. Karin visade stort deltagande och det var hon som kom honom nära. Knutas höll sig mest i bakgrunden, lyssnade och iakttog. Klockan hade hunnit bli nio på kvällen när de lämnade lägenheten. I hissen på väg ner tittade Karin upp på Knutas.

– Jag tror inte att det är han.

Redan när jag satte mig på pendeltåget till Nynäshamn visste jag. Slutet hade tagit sin början. Stumt betraktade jag landskapet som rusade förbi utanför fönstret. Södertörns böljande kullar, hästhagar, åkermarker.

I Nynäshamn klev jag av, köpte en tidning och en kexchoklad i kiosken och promenerade mot färjeterminalen. Dagen var gråmulen, havet bistert. Det blåste rejält ute vid kajen och jag fällde upp kragen kring polotröjan.

Vädret passade min sinnesstämning. Ödesmättat. Det fick vara slut nu. Båten var halvtom, turistsäsongen hade inte kommit igång ännu och det var en vanlig vardag.

Jag satte mig i vilstolen och slöt ögonen. Brydde mig inte om att besöka cafeterian, även om jag var kaffesugen. Orkade inte möta människor.

Det fanns bara en enda människa jag ville träffa.

Jag är tom på känslor, förbrukad, missbrukad och sönderkörd som en uttjänt skördetröska. Alla krossade förväntningar, alla hysteriska utbrott och galenskaper jag tvingats parera så långt tillbaka jag kan minnas. Jag har inte rätt till mitt eget liv. Jag har äntligen förstått det till fullo.

Hon är starkare, hon har vunnit. Det finns bara ett enda sätt jag kan göra mig av med min plågoande, med mitt kött och blod, med den som en gång gav mig detta eländiga liv. I vilket syfte hade hon fött mig, kunde man undra. För att plåga mig, suga ut mig, förinta mig? Låta föräldramisslyckandet gå i arv som ett upprepat mönster, inristat i familjeträdet för alltid. Låt barnen plågas, i generation efter generation. Låt dem lida. Låt dem inte få ta del av sin far och mor eftersom du aldrig fick det, käringjävel. Ingen ska få njuta av det som du inte hade. Dina barn får inte lyckas med sina förhållanden eftersom du aldrig gjort det. Dina barn försöker leva ett anständigt liv, men du hindrar dem hela tiden. Du står som en stor svart ondskefull demon i vägen och fyller deras arma kroppar med samma hat som du själv har. Och de upprepar dina irrationella mönster.

Jag går inte med på detta längre. Det finns bara ett sätt att få stopp på det. Och nu ska det äntligen ske, det som jag har längtat efter så länge. Men insikten fyller mig inte med glädje eller förväntan. Bara med en djup och tung sorg.

Jag behåller ögonen slutna hela vägen till Gotland.

Det var befriande att komma ut på gatan. Skymningen hade lagt sig, men luften var fortfarande ljummen.

– Vi kan väl gå och käka? föreslog Karin. Jag är utsvulten.

De hade bokat ett hotell nära Slussen och bestämde sig för att promenera upp till Mosebacketerrassen. Där var det fullt med folk, men de lyckades få ett bord för sig själva. Strax satt de där med lammfärsbiffar och en flaska rött.

– Vad gör dig så säker på att det inte är Simon som är gärningsmannen? sa Knutas och högg in på maten.

– Han verkar helt enkelt för labil. Skulle han se till att få tag på giftet, mörda Viktor helt iskallt mitt inne på festen medan den pågick en trappa upp och sen ge sig av ner till Holmhällar och bränna ner sin mammas sommarstuga där han själv tillbringat alla barndomssomrar? Han ger ett alldeles för svagt intryck, tycker jag.

– Nja, du kanske har rätt.

– Katrina, hans exsambo, säger samma sak. Han skulle aldrig klara det. Även om han kanske skulle vilja.

– Visst, å andra sidan låter det alltid så på brottslingars

fruar och flickvänner – de hade aldrig kunnat tänka sig...
och han skulle aldrig göra en fluga förnär...

– Det måste vara fruktansvärt att ha en sån mamma, sa Karin med eftertryck. Som är ett stort jäkla barn som alltid ska ha hjälp med allt – och dessutom aldrig blir nöjd! På hans beskrivning låter det som om det vore lättare att fylla Grand Canyon med teskedar med vatten. Där finns åtminstone en botten!

– Jovisst. Veronika Hammar borde rimligtvis ha en psykisk störning på nåt sätt, det där beteendet låter inte friskt.

– På så sätt har alla barnen tillräckligt starka motiv, sa Karin eftertänksamt. Det enda sättet att kunna leva sina egna liv verkar vara att antingen bryta kontakten med henne eller ta livet av henne.

– Det kan mycket väl ligga nånting i det du säger. Om inte Simon är kapabel återstår systern Mikaela eller Andreas. Eller varför inte Mats som lämnades bort?

– Han har ju inte haft nån kontakt med henne på alla år. Då tror jag mer på fårbonden.

– Andreas Hammar, ja. Han hade mycket väl kunnat klara av det. Och cyanid – finns inte det i blåsyra som används i råttgift? Den varan lär han ju ha mycket av på gården.

– Kanske det. Och Mikaela ska vi prata med i morgon. Annars finns ett annat alternativ. Att det är Veronika Hammar själv.

– Varför skulle hon vilja ta död på den hon är kär i och dessutom bränna ner sin egen stuga?

– Hon kanske är mer psykiskt störd än vi tror. Viktor Algård kanske hade upptäckt hennes mindre goda sidor och ville lämna henne. Irrationell och labil som hon verkar vara så hämnades hon genom att ta livet av honom och för att leda bort misstankarna från sig själv brände hon ner stugan. Hon kan ha iscensatt det där med glaset som ett villospår.

Karin såg tvivlande på Knutas.

– Den teorin känns lite långsökt. Vi kanske är alldeles ute och cyklar. Låser oss vid att det är nån i den närmaste familjen. Tänk om det handlar om nåt helt annat.

Knutas började känna sig berusad. Han var utarbetad efter den senaste veckans strapatser och det var skönt att sitta mitt i Stockholmsvimlet och dricka vin med Karin.

– Kanske det. Men det känns som om vi inte kommer vidare i kväll. Jag behöver rensa skallen och koppla av. Vill du ha mera vin?

– Gärna.

På väg till baren ringde han Line. Han kände ett styng av dåligt samvete över att dra iväg till Stockholm så fort de kom hem från landet, och dessutom sova kvar. Och för att han tyckte det var skönt att vara där på Mosebacke med Karin. Långt bort från allt och alla. Irriterat beställde han in ännu en flaska. Vad var det med honom? Han hade ingen anledning i världen att känna dåligt samvete. Under deras snart tjugoåriga äktenskap hade han aldrig varit otrogen och hans relation med Karin var strikt professionell. Bara vid ett enda tillfälle hade något som liknade en erotisk spänning uppstått, och det var förra sommaren då de hade hamnat hemma hos Karin en natt efter en blöt kväll på krogen. Visserligen hade de bara suttit i hennes soffa, lyssnat på Weeping Willows och druckit champagne, men plötsligt hade det legat något i luften, något nytt dem emellan som skrämde honom. Han hade blivit så besvärad att han snabbt rest sig och sagt att han måste gå hem. I hallen hade hon gett honom en kyss på munnen. Flyktig, men tillräcklig för att det skulle snurra till i skallen på honom.

247

När han armbågat sig tillbaka till deras bord log Karin mot honom. Hon hade bättrat på läppstiftet.

– Förresten, jag har glömt att berätta – jag pratade med Kihlgård i dag. Han har fått svar på proverna. Det var inget, han är frisk!

– Det var skönt att höra. Jag var riktigt orolig.

– Han är bara för tjock och rör sig för lite. Så nu ska han börja träna – på gym. Kan du tänka dig Kihlgård i tights?

Knutas drog på munnen. Tanken var minst sagt roande. Han såg den storväxte, bullrige kommissarien från Rikskriminalen skutta runt i en sal tillsammans med en massa vältränade tjugoåringar.

Karin tände en cigarett.

– Vad ska vi prata om nu då? sa hon retsamt. Eftersom du inte vill diskutera utredningen?

– Inte är det jag av oss två som brukar ha svårt för att prata. Knutas tog en klunk av vinet och såg forskande på henne. Jag har märkt att nåt har tyngt dig hela vintern, ja, ända sen förra sommaren egentligen. Kan du inte berätta vad det är?

Karin blev tyst en stund. Tog flera klunkar av vinet utan att säga något.

– Vissa saker vill jag inte dela med dig, Anders. Hur goda vänner vi än är. Jag trodde att du hade förstått det för länge sen.

– Visst respekterar jag om du inte vill prata om allt. Men nåt kan du väl klämma ur dig? Eftersom jag märker att det tynger dig och påverkar dig på jobbet.

Karins nötbruna ögon blixtrade till.

– Försöker du säga att jag inte sköter mitt arbete?

– Men snälla Karin, det är klart att det inte är så jag menar. Du är en utmärkt polis och gör alltid ett bra jobb. Men du har inte varit som vanligt det senaste halvåret och då menar jag humörmässigt, inte professionellt.

– Okej, okej.

Hon tog en klunk till. Knutas fyllde på. Karin fick en oro i blicken.

– Det hände saker i mordutredningen förra sommaren som väckte gamla minnen till liv. Minnen som jag helst velat glömma.

– Vad då?

Knutas kände hur han spände sig, gjorde sig beredd. Karin var på väg att berätta något viktigt. Hon suckade tungt. Ögonen tårades och hon såg så liten och sårbar ut att Knutas helst ville ta henne i sin famn.

– När det kommer till kritan har jag velat prata med dig om det här länge. Jag har varit på väg flera gånger. Problemet är att om jag berättar så äventyrar jag hela min poliskarriär och jag försätter dig i en fruktansvärt svår situation. Jag har velat bespara dig det.

– Jaha?

– Fast egentligen finns inget alternativ, vilka konsekvenserna än blir. Innerst inne har jag nog vetat det hela tiden. Du minns Vera Petrov, att hon var gravid?

– Ja?

– Där på båten, när vi sökte efter henne, jag skulle leta igenom hytterna på övre däck. När jag kom tillbaka till er andra så sa jag att jag inte hade hittat henne. Jag ljög.

Knutas stirrade förbluffad på Karin.

– Hon och hennes man var i en av hytterna när jag öppnade med draget vapen. Jag kände igen honom direkt från båten till Gotska Sandön. Och jag visste att hon var gravid. Hon låg i födslovärkar när jag öppnade dörren. Jag var tvungen att hjälpa till med barnet. Det var bokstavligt talat på väg ut. Jag agerade barnmorska under förlossningen och det gick bra. Hon fick en liten flicka. Det var en oerhört stark upplevelse. Att se de två och babyn. Deras fullkomliga lycka, trots den hopplösa situation de befann sig i. Som om ingenting annat spelade nån roll.

Knutas lyssnade med stigande förskräckelse. Vera Petrov hade kallblodigt avrättat två personer. Hans närmaste kollega hade låtit en dubbelmördare gå fri. Hon hade ljugit hela tiden. Så som han arbetat med fallet, kopplat in Interpol, alla efterlysningar, jakten som pågått i månader utan resultat. Dubbelmördaren och hennes man hade försvunnit spårlöst. Och här satt Karin och yrade om deras babylycka. Förutom sveket mot honom själv och kollegerna var det tjänstefel hon begått så grovt att hon aldrig mer skulle kunna arbeta som polis. Hon skulle hamna i fängelse, det kunde handla om flera år. På fullt allvar funderade han på om Karin hade blivit galen.

Utan att hon verkade lägga märke till sin chefs upprördhet fortsatte hon:

– Naturligtvis hade jag tänkt gripa dem och slå larm till er andra så fort barnet var fött. Men nåt hände under själva förlossningen. Jag hamnade mitt i min egen sorg.

Karins ansiktsuttryck förändrades drastiskt, kläddes av. Hon bleknade under sin vårsolbränna och ögonen hade ett allvar han aldrig sett i dem förut. Som om hon såg på honom på riktigt för första gången. Utan skyddsnät.

– Det är så, förstår du, att jag har också fött barn en gång. Jag var bara femton år då, så det är alltså tjugofem år sen.

Knutas stirrade häpet på sin kollega.

– Menar du att du är mamma, till en tjugofemåring?

– Ja, så är det. Fast jag har inte träffat mitt barn sen hon var nyfödd.

Karins underläpp darrade och ögonen tårades.

– Kom så går vi, sa Knutas och hjälpte henne upp från bordet. Han höll om henne och Karin snyftade mot hans axel hela vägen till hotellet. Knutas följde med till hennes rum. Låste upp dörren med kortnyckeln. Satte henne på sängen och puffade upp kuddar bakom hennes rygg. Hämtade toalettpapper så hon fick snyta sig, hällde upp ett glas vatten.

– Får jag en cigarett? bad hon.

– Visst.

Rummet var rökfritt, men vad fan.

Karin tände en med skakiga fingrar. Knutas drog fram den enda stolen i rummet och placerade sig intill sängen. Han förbannade vinet som fick skallen att snurra. Försökte samla sig. Han hade aldrig sett Karin så svag. Ljuset i rummet var dunkelt, skuggorna föll över hennes ansikte. Plötsligt såg hon främmande ut och han undrade hur väl han egentligen kände henne. Kanske var deras nära relation en chimär. Han satt tyst och avvaktade, med händerna knäppta i knäet. Lite svettiga, men han brydde sig inte om det, utan höll dem tätt ihop. Som om de sökte stöd i varandra inför vad han skulle få höra. Hennes röst skälvde när hon till sist öppnade munnen.

– När jag var nyss fyllda femton år blev jag våldtagen. Jag var ute och red med min häst i skogen. Hästen föll och blev halt. Jag fick leda den hem. På vägen låg ridlärarens gård. Jag gick in där för att få hjälp att ringa. Han var gift och hade barn men han var ensam hemma när jag kom. Vi släppte in hästen i stallet och så följde jag med honom in i huset. I stället för att låta mig ringa våldtog han mig, där i deras vardagsrum. Jag minns att jag stirrade på deras stora familjefoto över soffan när han trängde in i mig. Det gjorde fruktansvärt ont.

Karin vände huvudet mot taket och tårarna fortsatte rinna nerför hennes bleka kinder. Huden var tunn, nästan genomskinlig. Knutas kände ett klibbande obehag utefter ryggraden. Ville värja sig emot bilderna som dök upp i huvudet och som fick honom att må illa.

Hon drog ett djupt andetag innan hon fortsatte:

– När han var klar sa han att det skulle bli synd om mig om jag sa nåt till nån. Sen fick jag ringa. Jag var helt chockad. Det var så overkligt, jag bad bara pappa att komma och hämta mig. Jag skämdes, kände mig smutsig. Du vet, den vanliga visan. Jag kom hem, tog hand om hästen, duschade. Vi åt middag, jag gick och lade mig tidigt. Ville bara somna. När jag vaknade nästa morgon var det praktiskt taget som om det inte hade hänt. Jag försökte tränga bort det, både inför mig själv och andra. Om jag verkligen ansträngde mig för att låtsas som om det var en ond dröm så kunde jag nästan få det att försvinna. Därför sa jag inget, varken till mina föräldrar eller nån annan. Bara några dagar senare stötte jag ihop med honom på posten. Han log och hejade. Som om ingenting. Benen vek sig under mig och jag var nära att svimma. Jag var så rädd för honom att jag kunde dö. Jag ville nästan dö. Tappade lusten att rida, mina föräldrar förstod förstås ingenting. Jag mådde dåligt i skolan, drog mig undan. Började skolka, skylla på ont i magen och allt möjligt.

Rösten dog ut och Knutas försökte smälta den oerhörda historien. Detta var alltså Karins hemlighet som hon burit på i alla år. Sorgen som han anat funnits där hela tiden, men som var så ogripbar.

Han betraktade henne förstulet där hon satt i sängen, liten som en flicka. Skuldmedvetet, som om han inkräktade bara genom att finnas där och lyssna. Hon tittade inte åt hans håll, blicken var fäst på en osynlig punkt på väggen. Ljud från gatan trängde in då och då, men de var oväsentliga. Allt som var viktigt fanns där i rummet, orden från Karin, orden han väntat på i så många år, utan att ha vetat om det. Hon tände ännu en cigarett.

– Sen hände det som inte fick hända. Mensen kom inte, brösten ömmade och jag började må illa på morgnarna. Jag fortsatte förneka. Gick på som vanligt, låtsades inte om besvären. Illamåendet gick över så småningom, jeansen började spänna i stället. Efter ett tag gick det inte att dölja längre. En morgon i köket när jag kom ut i bara nattlinnet tittade mamma så konstigt på mig. Jag minns att jag stod vid kylskåpet och skulle plocka ut nånting. Hon stod vid spisen och jag märkte hur hon tittade på min mage, sen var hon där med handen, blixtsnabbt. Jag glömmer aldrig tonen i hennes röst. Den var iskall och full av förakt, skuldbeläggande – ja, till och med hatisk. *Är du med barn?* Jag blev panikslagen. Hade själv förnekat det så starkt, så länge. Jag nekade, men hon hävdade att det fanns ingen tvekan. Hon drog upp nattlinnet på mig för att hon ville se på brösten. *De har ju växt flera storlekar. Och magen!*

Jag började storgråta och hon ansatte mig förstås med frågor. Pappa kom ut i köket och stod som fastlimmad i dörröppningen. Stirrade på mig med fasa, som om jag vore ett monster. Då berättade jag om våldtäkten. Precis vad som hänt. Hur det hade gått till. Samtidigt som jag berättade skämdes jag. Helt sjukt, som om jag hade gjort nåt fel. När jag var klar satt jag bara där och grät, och så blev det helt tyst. Som i en kupa. Ingen sa nånting. Ingen tröstade mig. Ingen av dem. Mamma bara lämnade mig där i köket. Och pappa följde efter.

Karin tystnade. Knutas klappade henne varsamt på armen.

– Och sen då, frågade han försiktigt. Vad hände sen?

Karin snöt sig ljudligt. Svepte hela glaset vatten.

– Ja, sen, sa hon bittert. De ville inte polisanmäla, de vägrade ens prata om saken. Mamma ordnade det praktiska. De bestämde att barnet skulle adopteras bort på en gång efter förlossningen. Jag tyckte samma sak, ville bara bli av med det så jag kunde fortsätta med mitt liv. Fortsätta i skolan, fortsätta vara ung. Att tillvaron skulle bli som vanligt, som det var innan allt det där hände. Jag tänkte inte på barnet som ett barn, bara att det var nåt ont som måste bort. Jag hann gå klart nian med usla betyg. När hösten kom födde jag mitt barn, det var den tjugoandra september.

Tårarna började rinna igen, men hon fortsatte sin berättelse.

– Det blev en flicka. En kort stund fick jag ha henne på mitt bröst där i förlossningsrummet. Känna hennes värme och hur hennes hjärta pickade mot mitt. Som en liten fågel. I det ögonblicket ångrade jag mig. Jag ville behålla henne. Jag döpte henne i mitt huvud till Lydia. Plötsligt tog de henne, ryckte bort henne från mig och sen fick jag aldrig se henne igen.

Rösten dog ut. Karin sjönk ner bland kuddarna, det var som om all kraft hade lämnat henne.

– Men du ångrade dig ju?

– Vad hade jag att säga till om? Ingenting. Mina föräldrar sa att det var för sent, att alla papper var påskrivna, men så var det inte fick jag veta sen. De ljög för mig.

Karin lutade sig mot väggen, slöt ögonen.

– Jag har aldrig berättat det här för nån, lade hon till med svag röst. Du är den enda som vet.

Knutas tände pipan. Röken låg nu tjock i det lilla rummet. Han var drabbad, tillintetgjord av Karins berättelse. Den första upprördheten han känt då hon erkände att hon låtit Vera Petrov och Stefan Norrström gå fria hade för tillfället lagt sig. Just nu led han med Karin och var bestört över vad hon hade gått igenom. Själv hade han inte haft en aning under alla de år de arbetade tillsammans. Han såg ner på det veka ansiktet. Hon låg fortfarande med slutna ögon. Han erfor en enorm trötthet. Böjde sig fram och kysste henne försiktigt på pannan. Lade täcket över henne, släckte lampan och lämnade rummet.

Knutas vred och vände sig hela natten i den smala sängen utan att lyckas somna. Rummet var trångt och instängt. En tung gardin i en murrig rostbrun färg hängde för fönstret, någonstans brummade en fläkt. Trafikbruset hördes tydligt, då och då avbrutet av en siren från polis eller ambulans. Ett och annat skrän och skratt från förbipasserande fotgängare. Han kunde för sitt liv inte begripa hur stockholmarna stod ut. Staden var aldrig tyst. Själv skulle han drivas ifrån sina sinnen om han tvingades bo här.

Tankarna på Karin höll honom vaken. Just nu ångrade han djupt att han varit så enträgen. Hur stark kan en vänskap vara? Hon hade försatt honom i en omöjlig situation. Medvetet hade hon låtit en dubbelmördare gå fri, det var fullständigt oacceptabelt. Trots att Vera Petrov sannolikt aldrig skulle mörda igen och att varje vettig människa kunde förstå hennes motiv och det faktum att det låg en ytterst tragisk och hjärteknipande historia bakom, fanns det ingen ursäkt. Han måste meddela sina överordnade. Karin kunde inte längre arbeta som polis. Hans kollega sedan nästan tjugo år tillbaka måste bort. Tanken var så skrämmande att han fick frossbrytningar. Att komma till jobbet varje dag utan henne. Att inte få se henne vid kaffeautomaten eller under deras morgonmöten. Inte höra hennes skratt och se den där gluggen mellan framtänderna. Karin var hans främsta bollplank, både yrkesmässigt och privat. Han kunde inte ens föreställa sig hur jobbet skulle bli utan henne. Då och då drabbades han av en rädsla för att hon skulle ge sig av. Hon var fortfarande singel såvitt Knutas visste, vilket i hans ögon var obegripligt. Hon var så vacker med sitt mörka hår, sina varma ögon. Kanske skulle hon träffa någon som tog henne från Visby och hans sällskap? Hon var så intensiv, Karin. Så levande. Ibland funderade han över hur hon såg på honom. Vad han gav henne. Han som var en vanlig medelålders man med sina ömkliga privata problem som han så gärna dryftade med henne, säkerligen inte speciellt inspirerande.

När han tänkte på vad hon gått igenom, våldtäkten, förlossningen, föräldrarnas svek, steg ilskan inom honom. Till slut gick han upp, letade reda på pipan, satte sig i den enda fåtöljen vid fönstret. Drog isär gardinerna och öppnade fönstret. Klockan var fyra och han insåg att han inte skulle kunna somna.

Han tände pipan, blev sittande till gryningen och iakttog hur staden vaknade utanför fönstret.

Gården är full av lekande barn. Regnjackor i gult, blått, rött, grönt och rosa blir till en färggrann bukett mot den svarta asfalten och de grå byggnaderna runt omkring. Det har just slutat regna men luften dryper av fukt. Kalla vindar håller temperaturen nere. Ett djupt lågtryck har dragit in över Gotland och i ett enda brutalt svep sänkt temperaturen från tjugo till nio grader. Väderleken verkar inte bekymra ungarna som springer från den ena sidan av daghemmets gård till den andra. Några fröknar står i en klunga och småpratar medan de håller ögonen på barnen. Pratstunden avbryts ideligen av att någon ramlar och börjar störtgråta, en annan stoppar något olämpligt i munnen eller att några börjar bråka. De minsta som knappt kan gå sitter i sandlådan med hinkar och spadar och gräver förnöjsamt i den regnblöta sanden.

Det tar mig en minut att få syn på honom. Han är klädd i en mörkblå regnjacka, galonbyxor och tillhörande sydväst. En knallgul hink och spade sysselsätter honom. Han sitter intill en kamrat och de tycks prata och leka hur bra som helst.

Hjärtat kramas ihop, jag får svårt att andas och går ner på huk. Gömmer mig bakom en förrådsbyggnad, vill inte väcka uppmärksamhet.

Min pojke. Det mörka håret sticker fram under regnmössan, kinderna glöder röda och jag anar de mörka ögonen. Ett oförstört barn. Hur ser hans framtid ut? Hur kommer han att påverkas av det som ska ske? Vad ska han tänka när han blir större? Hur mycket ska han undra och hur mycket kommer han att lida? Den lilla figuren sitter där och leker obekymrat i sanden. Oskuldsfull, oförstörd. Han har rätt till en trygg uppväxt. Allt annat är förkastligt och nu står jag i begrepp att själv smita ifrån ansvaret.

Det existerar ingen väg ut ur min tvångströja, ingen alls. Mamma kommer att fortsätta plåga mig livet ut, jag blir aldrig fri. Andra människor dör, i cancer, i en bilolycka. Hon kommer antagligen att leva och fortsätta förpesta tillvaron för människor i sin omgivning tills hon blir hundra. Då kommer jag att vara nästan åttio.

En gång drömde jag att jag bläddrade i tidningen och kom till dödsannonserna. Jag fick syn på hennes namn. Allt jag kände var lättnad.

Jag reser mig upp, vilar ögonen på min son en sista gång innan jag vänder mig om.

Sedan går jag med tunga steg därifrån.

När Knutas kom ner i hotellets frukostrum var Karin ensam. Hon satt vid fönstret med en kopp kaffe och morgontidningen framför sig. Skuggor under ögonen, rynkad panna. Hon var klädd i sina vanliga jeans och en T-shirt. Kring ena handleden bar hon en läderrem med en grön sten. På fötterna som stack fram under bordet skymtade ett par lila gymnastikskor. Hon var djupt försjunken i en artikel i tidningen och märkte inte att han stannat upp vid entrén och betraktade henne. Knutas överfölls av en ömhet för den lilla figuren vid fönstret. Det stack i händerna och i benen, små nålstick som tilltog i styrka. En sekund svartnade det för ögonen och han var tvungen att ta stöd mot dörrposten. Han hade inte sovit en blund, kroppen värkte av trötthet. När han lämnade rummet hade han bestämt sig. Det fanns inget annat att göra, han skulle be Karin att säga upp sig, lämna sin tjänst. Han tog ett steg framåt, ett till. Det var ungefär tio meter fram till bordet. Sömngångaraktigt fortsatte han framåt, blicken hängde fast vid hennes ansikte. Så plötsligt märkte hon att han kom, såg upp på honom. Deras blickar möttes.

Nej, tänkte han. Jag kan inte fatta något beslut nu. Jag måste få mer betänketid.

– God morgon, sa han.

– God morgon.

– Du, jag vill inte att vi pratar om det där i går. Jag måste få tid att tänka.

– Okej. Men när vi kommer hem tänker jag lämna in min avskedsansökan, bara så du vet. Jag vill inte utsätta dig för en massa problem, Anders.

Hennes ord gjorde honom plötsligt panikslagen. Hon hade varit på väg att lämna jobbet tidigare och han ville för allt i världen inte vara med om samma sak igen.

– Vänta med att göra nåt förhastat, för guds skull. Du kan för fasen inte ta ansvar för mitt väl och ve. Vad jag än bestämmer så är det mitt val. Låt mig sköta det här, snälla du, vädjade han och hörde själv hur enträgen han lät. Du har burit tillräckligt mycket ensam. Försök att släppa alltihop så länge.

Hon log matt.

De hämtade hyrbilen i Katarinagaraget, ett stenkast från hotellet. De gjorde sitt bästa för att inte låtsas om vad de båda satt och tänkte på, utan försökte koncentrera sig på dagens uppgift. Deras privata problem fick vänta till senare.

Det gick förvånansvärt bra att köra genom stan, tänkte Knutas. Han höll sig längs vattnet i början, Skeppsbron och Strandvägen förbi TV- och Radiohuset på Oxenstiernsgatan och sedan Valhallavägen, en av Stockholms paradgator som var konstruerad som en fransk boulevard, rejält bred med en allé i mitten. Den slutade vid Roslagstull och sedan var det bara att fortsätta rätt ut på Norrtäljevägen. Antagligen hade han kunnat välja en rakare väg genom stan, men han hittade i alla fall. Och utsikten var bedårande med det glittrande vattnet mellan Stockholms alla öar, och pampiga byggnader som Slottet, Nationalmuseum, Dramaten och Nordiska museet på Djurgården som påminde om ett renässanspalats med sina tinnar och torn.

Knutas nyfikenhet på Mikaela Hammar hade växt under utredningen. Hon hade skapat sig ett helt nytt liv utanför Gotland. Gift sig med en fastlänning, flyttat till Stockholms skärgård och startat en ridskola, som hon drev tillsammans med sin man parallellt med arbetet för en välgörenhetsorganisation.

Det var en bit att köra. Knutas kollade tiden när de passerade Norrtälje och hade en dryg mil kvar. Lite över elva. Planet hem skulle lyfta halv fyra. De hade gott om tid.

När de körde över bron till Vätö påmindes han om hur skärgården skilde sig från Gotland. Ett helt annat landskap. Inga långa sandstränder men klippor, kobbar och skär. Vätö var en av de större öarna i Stockholms skärgård med en fast befolkning på runt tusen, affär, post, bibliotek och skola. Många som bodde på ön pendlade till Stockholm eller Norrtälje. Mikaela Hammar bodde med sin familj i Harg, mitt på ön. En stor, gammal grind i en kurva, in i en hästhage. Bilen skumpade fram på den lilla traktorstigen och så dök gården upp bakom en kulle. I ensamt majestät låg den högt på en platå med bergknallar på ena sidan och en vidsträckt utsikt över bygden på den andra.

Några fjordingar kom lunkande emot dem när de klev ur bilen.

Knutas som hyste viss respekt för hästar skyndade mot grinden. Gården bestod av en faluröd huvudbyggnad med två flyglar. Längre bort på tomten låg ett stall med en paddock framför. En ridbana stack fram bakom stallet. Entrédörren öppnades och en solbränd, fyllig kvinna i trettiofemårsåldern kom ut på förstukvisten med en kaffebricka i händerna. Hon log och hälsade vänligt på dem.

– Jag tänkte att vi kunde sitta ute. Det är ju så fint väder.

Hon gick före till en sittgrupp vid sidan av huset med utsikt över bergknallarna. Gullvivor och liljekonvaljer blommade redan. Det kändes nästan som sommar.

– Jag är tacksam över att du kunde ta emot oss så här direkt efter din långa resa, började Knutas.

– Inga problem. Jag förstår att det är viktigt.

Ett stråk av sorg i rösten.

– Du vet vad som har hänt. Din mamma har av allt att döma först utsatts för ett mordförsök och sedan en mordbrand. Huruvida händelsen i kongresshallen verkligen var riktad mot henne är vi fortfarande inte helt säkra på, men det är i alla fall vad hon påstår och vi har delvis fått historien bekräftad av vittnen. Hur reagerar du på allt detta?

– Om det är nån som är ute efter att mörda min mamma så är jag inte förvånad, för att uttrycka saken milt.

– Varför inte?

– Det finns en anledning till att jag har brutit kontakten. Min mamma har en förmåga att förinta människor i sin omgivning.

– Hur då?

Mikaela Hammar suckade. Knutas noterade att hon inte var ett dugg lik sin mamma. Hon var lång och ganska bastant med ljusbrunt långt, vågigt hår och ljusblå ögon. Det fanns egentligen ingenting hos henne som påminde om Veronika Hammar.

– Jag växte upp med en mamma som var så självupptagen att hon inte såg vare sig mig eller mina syskon. Om jag ska hålla mig till att prata om min egen upplevelse så handlar det om en uppväxt av osynliggörande, respektlöshet, vardagskränkningar, skyfflande av problem under mattan, martyrskap – ett liv i förljugenhet. Som en kuliss. Jag var deprimerad under långa perioder, det accelererade under tonåren och det gick så långt som till att jag började skära mig och fick ätstörningar. Jag åt hysteriskt och kräktes. Det pågick i fem år utan att hon ens märkte det.

– Hur gammal var du då? frågade Karin.

– Det började i femtonårsåldern och höll i sig tills jag flyttade hemifrån. Då träffade jag gudskelov min man. Han blev min räddning. Utan honom hade jag inte levt i dag.

Hon gjorde konstaterandet sakligt, utan spår av självömkan.

– Vad utlöste de här problemen?

– Jag tror att jag hade mått dåligt under så lång tid, utan att bli sedd. Att jag skar mig i armarna berodde nog på två saker. Dels lättade ångesten och dels önskade jag väl innerst inne att nån skulle se mig, lägga märke till mig. Upptäcka hur det stod till. Men det var det ingen som gjorde.

– Vad hände när du mötte din man?

– Jag träffade honom på sommaren. Han var på semester på Gotland som alla andra. Mamma slog förstås ner på allt som hade med honom att göra. Hur han såg ut, att han inte hade nåt bra jobb i hennes ögon, att han bodde i Stockholm. Allt hon kunde komma på klagade hon över. Men den gången lyssnade jag inte. Och det tackar jag Gud för. För första gången i mitt liv fick jag känna hur det var att vara älskad på riktigt och det var underbart, ska jag säga. Nån som tyckte om mig precis som jag var, utan förbehåll eller prestationskrav. Han lyssnade på mig, lät mig prata till punkt, lät mig tycka vad jag ville. Han fick mig att växa som människa och tro på kärleken. Att det faktiskt finns riktig kärlek och att den kan hålla. Det är jag honom evigt tacksam för. Han helade mig.

Mikaela Hammar uttalade orden med en sådan äkthet och värme att både Karin och Knutas blev berörda.

– Du och din mamma har ju inte haft kontakt på länge. Hur lång tid handlar det om?

– Det är över tio år sen vi pratade med varandra senast.

– Vad var det som hände?

– Jag fick definitivt nog den gången. Jag och barnen hälsade på mamma i sommarstugan. Vi skulle stanna i några dagar, det var gränsen för vad jag stod ut med. De var små då, Linus var fyra och Doris två. En eftermiddag skulle jag åka och handla och bad mamma se efter barnen medan jag var borta. Det skulle ta max två timmar. Jodå, det gick så bra. Mamma var aldrig barnvakt, men jag tänkte att det kan väl inte hända nåt på den korta tiden. Dessutom är det så mycket enklare att handla utan småbarn. Linus lekte så fint med sina plastbilar på gräsmattan och Doris sov i vagnen när jag åkte. När jag kom tillbaka gallskrek båda två, Doris blödde från kinden, grannarna var inne och hojtade på tomten och det var ett enda kaos. Det visade sig att Linus hade gått på dasset som ligger en bit ner på tomten och mamma skulle komma och torka honom när han var klar, men hon hade glömt honom därinne. Han hade suttit där och gråtit i över en timme medan hon pratade i telefon inne i stugan. Under tiden hade Doris tultat in till grannen och blivit biten i ansiktet av deras hund. Det var droppen av alla års sväljande av hennes förbannade självupptagenhet. Jag skällde ut henne efter noter, rafsade ihop mitt pick och pack och ungarna och for iväg.

– Och sen – försökte hon ta kontakt?

– Enligt mina syskon tyckte hon naturligtvis att jag hade

burit mig fruktansvärt åt och *Så där gör man inte mot sin mamma* och den gamla vanliga visan. Jag struntade i att ringa, det gick väl nån månad och sen började hon skicka brev. Långa haranger där hon förorättat beskrev allt hon har gjort för mig i alla år och hur tacksam jag skulle vara. Jag läste det första och slängde resten. Hon hade stått mig upp i halsen så länge så det var befriande att bryta. Det är det bästa jag har gjort. Den största present jag gett både till mig själv, min man och mina barn. Hur grymt det än kan låta.

Mikaela Hammar lät säker, men darrade på handen när hon lyfte koppen. Det blev tyst en stund runt bordet. Knutas såg scenen tydligt framför sig. Han tog en klunk av kaffet.

– Med tanke på att ni inte har haft kontakt på så länge förstår jag att det är svårt för dig att säga nåt om hotbilden mot henne. Om det nu finns nån.

– I och för sig tror jag att vem som helst av oss skulle kunna drivas så långt som till att döda henne. Så mycket har hon trampat på oss, missbrukat oss och förbrukat oss. Sen har hon ju hemlighållit saker dessutom. Har nån av de andra berättar för er om Mats?

nte sedan hon kom hem från lasarettet en vecka tidigare hade hon satt sin fot utanför dörren. Hon gick upp varje morgon, åt frukost, läste tidningen, lyssnade på lokalradion. Väntade in lunch. Då åt hon en enkel soppa eller sallad. Vid tvåtiden drack hon kaffe och middagen intog hon framför Aktuellt. Timmarna däremellan segade sig fram. Hon kunde inte ta sig för något, varken städa, måla eller pyssla i sin lilla trädgård som hon annars brukade ägna sig åt den här årstiden. Hon var fastlåst. Vad hon väntade på visste hon inte. Dagarna gick och hon längtade till stugan som hon inte längre hade. Insikten om att den gått förlorad drabbade henne plötsligt och fick henne att gråta i flera timmar. Hon låg på sängen som ett barn, skakade i hela kroppen. Ångesten tog strypgrepp, men ingen kom till hennes undsättning. Viktor fanns inte mer, inget av barnen svarade i telefonen när hon ringde. Hon var fullkomligt ensam.

Att Simon inte gick att få kontakt med hade hon vant sig vid de senaste månaderna. Men Andreas? Han hade förändrats på sistone, blivit hårdare i tonen och mindre medgörlig. Inte var han lika tillgänglig som tidigare, kanske berodde det på att han hade träffat någon. Tydliga spår fanns i huset. Hon hade hittat en kajalpenna i badrummet, en hårsnodd på hallbordet. Plötsligt hade han naturell yoghurt i kylskåpet. Och han svarade inte när hon ringde.

Den här morgonen erfor hon en oro som var starkare än vanligt. Hon gick upp och gjorde sina vanliga morgonbestyr, men kroppen kliade av rastlöshet. Hon vankade av och an i sitt lilla hus, satte sig ute på gården och försökte läsa tidningen utan att kunna komma till ro. Tvättade håret, fast det höll våndan borta bara under den stunden. Försökte lösa korsord, men tankarna vandrade ideligen iväg åt olika håll. Det var spretigt i huvudet. Ingen ordning. När hon skulle koka eftermiddagskaffe upptäckte hon till sin förfäran att det bara låg några smulor på botten i burken. Inget extra paket i skåpet. Andreas svarade fortfarande inte. Hon skulle bli tvungen att gå ut. Hon ryggade tillbaka när hon mötte sin egen spegelbild. Hon måste fixa till sig, kunde inte visa sig bland folk.

Den närmaste timmen ägnade hon åt att göra sig i ordning. Valde en elegant vit byxdress som kanske var något överdådig för en promenad till Ica men vad sjutton. Omsorgsfullt applicerade hon makeupen och fönade håret som vuxit sig för långt. Och utväxten syntes. Hon borde gå och klippa sig, färga håret.

När hon till sist betraktade sin uppenbarelse i spegeln innan hon lämnade huset var hon ändå nöjd. Hon såg nästan ut som sitt vanliga jag.

Trycket över bröstet gjorde sig påmint så fort hon klev ut på gatan. Hon såg sig förstulet om åt bägge håll. Inte en människa i sikte. Ingen polisbil heller. Bevakningen av henne hade avbrutits, det fanns inga resurser hade polischefen förklarat.

Inga resurser. Det var hårresande. Viktor hade mördats och hon själv utsatts för mordförsök. Kunde hotet verkligen vara avvärjt? Å andra sidan kunde hon ju inte sitta inlåst resten av livet. Situationen var obegriplig och skrämmande. Hon kunde för sitt liv inte begripa vem som skulle vilja henne något ont, hon som aldrig gjort en fluga förnär. Hela livet hade hon hjälpt andra och ställt upp för sina medmänniskor, utan minsta tanke på sig själv: barnen, systrarna, arbetskamrater, grannar, vänner och bekanta. Otack var världens lön, det hade hon bittert fått erfara, men vem skulle vilja mörda henne? Hon kunde bara tänka sig en enda människa och det var Viktors före detta fru Elisabeth Algård. Vem annars? Hon hade blivit fullständigt från vettet när han sa att han ville skiljas och senare berättade han att hon därutöver var galen av svartsjuka.

Att polisen fortfarande inte hade gripit henne, det var ofattbart. Förhoppningsvis höll de ögonen på henne och antagligen var det bara en tidsfråga. Kanske gjordes det i denna stund. Tanken stärkte henne och hon promenerade nerför den folktomma gatan. Än så länge var det behagligt lite folk i Visby, snart skulle turisterna inta staden. Stugan skulle hon inte kunna åka till i sommar, men den byggdes väl upp igen. I sommar fick hon nöja sig med att bo hos Andreas, det var åtminstone på landet även om gården låg en bit från havet.

Om hon skulle titta in och ta en kaffe på Rosengården innan hon handlade? Det var hennes favoritkafé och hon hade inte varit där på veckor. Dessutom var hon vansinnigt kaffesugen. De hade den godaste espresson. Hon passerade entrén på vägen och utan att reflektera vidare över saken gick hon in. Den vänliga servitrisen log mot henne. Vad trevligt att ses, hur står det till. Jo tack. Hon beställde sitt kaffe och en bit morotskaka. På uteterrassen var det glest med folk. Ett par av borden var upptagna, hon undvek att titta på människorna som satt där.

Hon valde sitt vanliga favoritbord längst nere i trädgården. Det var placerat i en liten syrenberså. Blommorna höll redan på att slå ut. Där hade hon fin utsikt över Botaniska trädgården och dess blomsterprakt. Detta var en oas och ett av de få ställen i stan där hon kunde koppla av, även om hon var ensam.

Efter en stund kom servitrisen med kaffebrickan. Klirr, klirr. Tack, tack. Hon läppjade på det starka kaffet och kände livsandarna återvända. Allt skulle bli bra igen. Hon skulle inte ge upp. Fåglarna kvittrade och de lågmälda samtal som fördes vid borden längre bort hade en lugnande inverkan. Morotskakan var hög och såg saftig ut. När hon förde gaffeln till munnen klev en man in på serveringen. Hon tyckte att hon kände igen honom.

Kunde inte placera honom bara.

Kaféet låg i utkanten av Visby med utsikt över Botaniska trädgården. Solen sken och det var en varm eftermiddag. Emma ville sätta sig någonstans där hon kunde vara i fred och tänka. Utomhus var ett måste, så att hon kunde röka under tiden. Hennes rökning hade gått upp och ner de senaste åren. Hon hade gjort uppehåll under graviditeterna med Sara och Filip och under amningen, men sedan började hon igen. Samma sak med Elin. Så fort hon slutat amma återupptog hon rökningen, trots att hon egentligen hade gjort sig av med behovet. Många av hennes vänner och bekanta tyckte att det rimmade illa att Emma var en sådan nikotinist. Hon tränade flera gånger i veckan, arbetade i småskolan som lärare, älskade att vistas ute i naturen och ansågs vara en riktig friluftsmänniska. Emma kunde inte förklara varför hon rökte. Nu behövde hon tänka och då var cigaretterna ett måste.

Hon gick in i muröppningen till trädgårdskaféet och såg sig omkring. Ett tiotal bord var utplacerade i grönskan, bland blommande äppelträd och syrener. Här fick den som ville både skugga och ostördhet om det var det man var ute efter.

Tre bord var upptagna: en ålderstigen man som löste korsord i dagstidningen i sällskap av en kopp kaffe och en mazarin, två tonårstjejer med varsin stor caffe latte. Huvudena tätt ihop, förtroligt samspråk. En ensam yngre man med en sallad och en bok, vars titel hon inte uppfattade. Han var den ende som höjde blicken när hon gick fram till tjejen bakom disken. Hon beställde en dubbel macchiato och en favorit, italiensk mandelskorpa doppad i choklad. Valde ett bord längst bort i trädgården där hon fick vara i fred med sina tankar. Solen värmde, hon tog av sig jackan och hängde den på stolen bredvid, smuttade på kaffet och tände en cigarett. Så tidigt i graviditeten kunde det väl knappast spela någon roll. Förresten var hon inte alls säker på att hon ville behålla barnet. Johan fick inte veta något ännu. Ett barn till, vad skulle det innebära? När hon läst av resultatet på stickan samma morgon hade hon gripits av panik. Till råga på allt hade Olle ringt på dörren en halv minut senare. Det var hans tur att ha barnen. Hon hade slängt testet i papperskorgen, täckt över med toapapper, sköljt ansiktet i kallt vatten, gått ut för att öppna. Hon hade lyckats samla sig så pass att hon fått iväg Sara och Filip med sedvanliga pussar och en förmaning om att ringa och säga god natt på kvällen. Beskedet var chockerande. Hon måste bort från huset, vara ensam och tänka över den oväntade situation hon plötsligt befann sig i. Väninnan Viveka ställde som vanligt upp och tog hand om Elin i några timmar. Emma förmådde inte ens berätta om sin belägenhet för henne. Inte än.

I bilen på väg in till stan var huvudet fullt av motstridiga tankar. Tanken på ännu en graviditet, ännu ett barn gjorde henne illamående. I nästa sekund blev hon skamsen. Man borde väl bli glad över ett sådant besked? Hon var trettioåtta år, gift, hade ett bra jobb och en underbar man som älskade henne. De hade alla förutsättningar att ta hand om ett barn till och Johan skulle antagligen bli överlycklig.

Bedrövad parkerade hon på Stora torget, köpte cigaretter och en kvällstidning på Ica och promenerade ner till Botaniska.

Nu satt hon här i skuggan under äppelträden med tidningen uppslagen framför sig så att det skulle se ut som om hon läste. Hon förbannade sig själv. Hur kunde hon vara så klumpig? P-piller mådde hon dåligt av, spiral funkade inte så de fick använda kondomer och någon gång hade de slarvat och kört med avbrutet samlag. Oförsiktigt naturligtvis eftersom hon hade så lätt för att bli gravid. I sin enfald hade hon inbillat sig att åren borde ha gjort sitt, hon var ju nästan fyrtio.

Hon strök sig sakta över magen. Ett nytt liv hade slagit rot därinne. Vad skulle hon ta sig till? Hon kände sig gråtfärdig och skämdes ännu mer. Vuxna människan.

Tjejerna hade tydligen tjattrat färdigt för de reste sig och gick. Strax därpå följde bokläsaren efter. Den äldre mannen med korsordet satt kvar, djupt försjunken, plitade då och då ner ett ord med darrande hand och läppjade på kaffet. Hon var tacksam över att det var så folktomt. Det fanns inte många offentliga ställen där hon fick vara i fred. I egenskap av lärare hade hon bekanta överallt, vart hon än gick mötte hon föräldrar eller elever.

En elegant kvinna klev in på serveringen, stannade upp ett ögonblick och såg sig om. Hon var i sextioårsåldern, liten och slank och klädd i en vit byxdress. Det ljusa håret var klippt i en page och läpparna var starkt rödmålade. Det fanns något glamoröst över henne och Emma gissade att hon var en kändis som hon kanske borde veta vem det var.

Hon satte sig vid ett undangömt bord, till hälften dolt

av en syrenberså, längst bort i trädgården. Emma tappade intresset och bläddrade förstrött i tidningen.

Efter en stund fick damen sällskap. En man som såg ut att vara jämnårig med Emma kom in och gick med bestämda steg bort mot bordet i bersån. Han var lång och välbyggd, klädd i jeans och skjorta. Blond med skägg, mörka solglasögon. Han gav ett forcerat och en smula obekvämt intryck. Hon glömde sina egna problem för en stund och iakttog paret i smyg medan hon låtsades läsa tidningen. Något väckte hennes nyfikenhet, hon fick en känsla av att de inte var där bara för att dricka kaffe och koppla av en stund i all vänskaplighet. Det fanns något besvärat över dem. Trots den uppenbara åldersskillnaden kanske de var ett kärlekspar som just hade grälat.

Gamlingen med korsordet drack ur det sista av kaffet, reste sig mödosamt och lämnade kaféet. Nu var hon och det udda paret de enda kvarvarande gästerna. Hon såg bara mannen från sidan och han skymde kvinnan nästan helt. Han lutade sig framåt och pratade lågmält med henne. Det framgick tydligt att det var något viktigt de samtalade om. Hon förmådde inte urskilja orden men uppfattade mannens angelägna röst. Kanske ville kvinnan avsluta förhållandet och han försökte övertyga henne om att stanna. Eller var det så att han gjorde slut och nu kom med en lång förklaring om varför? En önskan om att få henne att förstå. Kvinnan svarade knappt. Emma tappade intresset och började återigen sväva bort i sina egna tankar. Plötsligt reste sig kvinnan. Hon gick fram till servitrisen och frågade antagligen efter toaletten eftersom hon fick en nyckel i sin hand. Mannen satt kvar vid bordet, men syntes knappt bakom syrenbuskarna. Han måste ha flyttat sig för nu kunde Emma inte urskilja honom alls längre. Mobiltelefonen ringde. Det var Johan.

– Hej älskling, var är du?

– Jag är på stan och gör några ärenden.

– Ja, för jag ringde hem först och ingen svarade.

– Jaha.

– Hur är det med Elin?

– Hon var så trött så Viveka passar henne. Jag tyckte det var bäst att hon fick vara hemma i lugn och ro. Alltså, jag lämnade henne hos Viveka.

– Jaså?

Johan lät undrande.

– Är det nåt särskilt?

– Nej, inte alls. Jag behövde bara fixa några saker. Det var skönt att komma iväg en stund.

– Jag förstår. Usch vilken tuff natt, men snart är det över, älskling. Och sen får hon aldrig kikhosta igen, det kan vi åtminstone trösta oss med.

– Ja.

Emma tänkte på barnet i magen och bilderna flimrade förbi. Ny förlossning, ny amning, dagisinvänjning, nya bajsblöjor och nya sjukdomar. Bara tanken gjorde henne panikslagen.

Plötsligt upptäckte hon att det skramlade till borta vid bordet där paret satt. Eller suttit. Först såg hon inte någon av dem. Sedan hörde hon ett kvidande och fick se en arm som viftade okontrollerat, ryckiga rörelser. Den yngre mannen lämnade bordet. Deras blickar möttes när han passerade.

Den äldre kvinnan hade också rest sig. Men det var något konstigt med henne, hon verkade inte må bra.

– Du, jag måste sluta. Ringer sen.

Mikaela Hammar hällde upp mera vatten och tog en djup klunk.

– Ingen av oss hade en aning om att vi hade en halvbror förrän Mats kontaktade oss. Mamma har aldrig sagt nånting om honom. Plötsligt en dag så ringde telefonen. Det var en man som hette Mats Andersson och han berättade att han var min halvbror. Han ville träffas så vi sågs på ett kafé i Norrtälje. Jag visste förstås inte om det han sa verkligen var sant. Samtidigt hade jag ingen anledning att tvivla.

– Hur länge sen är det här? frågade Knutas.

– Nästan precis två år sen, i maj faktiskt. Jag kommer ihåg att vi satt ute och fikade och att det var riktigt varmt. Hennes ansikte sprack upp i ett leende. Och det blev ett rätt otroligt möte. För det första räckte det med att jag såg honom för att inse att han talade sanning. Han är så lik mamma och min bror Simon att det är skrattretande. Exakt samma ögon och mun. Och så har de små ansikten liksom, samma höga kindkotor, mörka ögonbryn och naturligt röda läppar.

Hon drog med handen över sitt eget ansikte för att visa vad hon menade.

– Tyvärr fick jag aldrig såna färger själv. Dessutom visade han mig födelseattesten.

– Och pappan? frågade Karin.

– Okänd. Mats vet inte vem hans pappa är och mamma vägrar att säga nåt.

– Så han har kontakt med henne?

Mikaela suckade bittert.

– Han har försökt få träffa henne flera gånger, men hon vill inte veta av honom. Hon låtsas som om han inte finns. Första gången hon avvisade honom var han bara tretton. Kan ni fatta hur man kan göra nåt sånt? Bara lämna bort sitt barn och sen strunta i det!

Knutas kastade en snabb blick på Karin. Han lade en hand på hennes arm.

– Mår du bra? Vill du vila lite?

– Nej, det är okej.

Mikaela såg undrande ut, men sa inget.

– Vad var det som hände från början? frågade Knutas.

– Mamma blev med barn första gången när hon bara var femton, långt innan hon träffade pappa. Det var en tillfällig grej med en kille som bara försvann. Och så fick hon Mats 1966. Hon ville inte ha barnet, men adopterade inte bort honom utan lät honom bo hos fosterföräldrar. Mats har haft riktig otur och hamnat hos olika familjer, bara fått stanna hos varje familj i några år och sen har han varit tvungen att byta. Det har gjort att han aldrig har vågat knyta an till nån. Han har varit väldigt ensam och rotlös. Tvingats flytta runt under hela uppväxten. Och hon har struntat i honom.

– Varför adopterade hon inte bort honom? frågade Karin tonlöst.

– Säg det. Kanske blev hon avrådd av sina föräldrar, vad vet jag? Men det hade säkert varit bättre för honom. Då hade han ju fått en riktig familj, några som han kunde kalla mamma och pappa.

– Men så kontaktade han dig, gjorde han samma sak med dina syskon?

– Ja, vi tyckte alla tre att det var jättekul, det var som att få en oväntad present. Och det är lätt att ta Mats till sitt hjärta, han är en sällsynt varm och inkännande person. Vi pratar med varann i telefon åtminstone några gånger i månaden. Förra midsommaren firade vi här och Simons familj var också med. Det var underbart. Mamma visste ingenting. Hon var utomlands.

– Har ni alla tre fått bra kontakt med Mats?

– Jo, det tycker jag, men mest är det Simon. De är så lika och fann varann direkt. De har också mest kontakt i dag. Mats bor ju nära Simon nu också, på Söder. Det är nog väldigt bra just nu, när Simon mår så dåligt.

Knutas gav Mikaela en lång blick.

Emma rusade upp från stolen och sprang fram till bordet. Den äldre kvinnan var blå i ansiktet, hon tog sig med båda händerna om halsen, kippade efter andan. Ögonen uttryckte en fasansfull skräck och kroppen vred sig i häftiga kramper. Plötsligt segnade hon ihop och föll omkull i gräset.

– Hjälp, skrek Emma med sina lungors fulla kraft. Hjälp! Kom hit! Det är en kvinna som mår dåligt!

– Vad är det?

Den unga servitrisen dök upp och stirrade bestört på Emma.

– Ring ambulans! Nu!

Servitrisen nickade skrämt och försvann iväg.

Emma hade vaga minnen av en kurs i första hjälpen som alla lärare fått, men det var en massa år sedan. Eftersom kvinnan nu verkade livlös måste hon försöka med konstgjord andning. Hon lutade kvinnans huvud bakåt och böjde sig över henne. Höll för näsan med ena handen och öppnade munnen med den andra. När hon skulle trycka dit sin egen mun ryggade hon tillbaka. Munhålan stank av en lukt hon inte kunde identifiera.

Hon stålsatte sig emot obehaget och började blåsa.

armet kom till polisen 15.27 och inom tio minuter var första patrullen på plats. Då hade ambulansförarna redan konstaterat att den äldre kvinnan var död och den yngre som gett henne konstgjord andning hade säckat ihop och förts i ilfart till lasarettet. Ett stort antal poliser beordrades till kaféet, däribland hundpatruller. Gärningsmannen hade nyss lämnat brottsplatsen, kanske befann han sig alldeles i närheten. Karin och Knutas var i Stockholm. Ingen av dem svarade i mobilen, förmodligen satt de på planet till Visby.

Wittberg och Sohlman anlände några minuter senare. Wittberg tvärbromsade framför entrén och de skyndade in i kaféets trädgård. En blek och medtagen servitris som såg ut att vara knappt tjugo satt och rökte med en filt om axlarna.

– Det är fruktansvärt, hon har varit här så mycket, hon är en av våra stammisar.

Rösten skälvde.

– Kvinnan som dog – vad heter hon? frågade Wittberg, medan Sohlman skyndade förbi honom, bort till offret.

– Veronika Hammar. Hon brukar komma ofta, flera gånger

281

i veckan, ibland varje dag, men nu var det ganska länge sen.

Wittberg svor till. Veronika Hammar.

Han sjönk ner på stolen bredvid den unga tjejen. Drog fram ett anteckningsblock och en penna ur fickan.

– Berätta vad som hände.

– Hon kom in här och beställde en dubbel espresso och en bit morotskaka och satte sig vid sitt vanliga bord.

Tjejen pekade mot platsen längst bort som var avspärrad.

– Bordet för fyra, där borta i bersån. Hon tyckte om att sitta för sig själv. Efter ett tag kom en man och beställde kaffe och Ramlösa och när jag var ute och plockade disk lite senare såg jag att han hade satt sig borta hos henne. Sen dröjde det inte länge förrän hon ville låna nyckeln till toaletten.

– Kände du igen mannen? frågade Wittberg.

– Nej, jag har aldrig sett honom förut.

– Hur såg han ut?

– Lång, rätt stor, men inte tjock utan mer att han var muskulös. Rätt gammal, typ fyrtio.

– Skägg eller mustasch? Glasögon?

– Faktiskt alltihop. Och ganska stort hår, lite rufsigt.

– Färg?

– Blond.

– Hur var han klädd?

– Jag minns inte riktigt. Nåt blått, tror jag. En jacka och jeans. Inget speciellt.

– Sa han nåt? Jag menar, hörde du hans röst?

– Nej, han sa ingenting.

– Vad hände sen?

– Ja, jag vet inte ... Hon gick på toa och kom tillbaks med nyckeln. Sen satte hon sig där igen. Det var så lugnt så jag gick in i köket ett tag för att hjälpa kallskänkan, sen fick jag telefon. Och efter bara några minuter hörde jag hur nån skrek. När jag kom ut nästa gång var den där mannen borta och Veronika låg på marken.

Hon blundade och ruskade på huvudet som om hon ville skaka av sig minnena.

– Usch, det var hemskt. En ensam kvinna som var här ropade att jag skulle ringa polisen. Så det gjorde jag. Sen vågade jag inte titta, men jag vet att Veronika dog väldigt snabbt. Fast hon, den där andra, försökte göra mun-mot-mun-metoden. Hon blåste och blåste, sen slutade det med att hon också ramlade ihop. I nästa sekund var ambulansen här.

– Och du vet inte vem hon var, hon som hjälpte till?

– Nej, jag har aldrig sett henne förr.

– Vad heter du?

– Linn.

– Kan du stanna en stund, är det ok?

– Ja, det går bra.

Wittberg gick bort till Sohlman som satt hukad över den döda kvinnan. Kriminalteknikern tittade upp mot sin kollega.

– Det är samma jävel. Utan tvekan. Lukta.

– Fy fan.

Någon knackade på Wittbergs axel. Det var den unga servitrisen.

– Hon som skadades och togs till lasarettet – det här är hennes väska.

Hon räckte fram en handväska. Wittberg öppnade den med ivriga fingrar. När han fick fram plånboken med kvinnans identitetskort hajade han till.

Emma Winarve. Johan Bergs fru. Emma Winarve som hade varit nära att få sätta livet till i ett drama ute på Fårö några år tidigare.

Nu hade hon råkat illa ut igen.

samma stund som Knutas satte på mobilen när de landat i Visby och han och Karin var på väg till bagageutlämningen ringde det.

Det var Wittberg som beskrev den senaste timmens dramatiska händelser. Mordet på Veronika Hammar hade skett vid samma tidpunkt som de klev på planet. Knutas var tvungen att sätta sig ner. Luften gick ur honom samtidigt som han kände en tilltagande ilska. Förgäves hade han försökt övertala länspolismästaren att de måste prioritera bevakningen av Veronika Hammar och fortsätta åtminstone över helgen. Nu var det för sent.

De tog en taxi till polishuset.

Journalister hade samlats utanför, men de fick inga kommentarer, han skyndade förbi flocken med ett löfte om presskonferens innan kvällen var till ända. Trycket var så hårt att de skulle bli tvungna att hålla en.

Kaféet och området utanför hade spärrats av och finkammats av polisens tekniker. Grannarna förhördes, liksom flera vittnen som sett en man försvinna nerför gatan den aktuella tidpunkten.

Spaningsledningen samlades så fort Knutas och Karin steg in på Krim.

Wittberg började med att dra händelseförloppet.

– Linn Blomgren, tjejen på kaféet, har lämnat klara och tydliga uppgifter. Strax efter klockan tre dök Veronika Hammar upp ensam. Hon är stamgäst på kaféet och hade inte varit där på länge, men hon verkade spänd och växlade bara några ord med servitrisen. Hon beställde kaffe och kaka och satte sig vid ett bord längst bort i kaféets trädgård. Bordet är nästan helt insynsskyddat eftersom det har en syrenberså runt omkring. Några minuter senare dök mannen upp, köpte kaffe och Ramlösa, betalade kontant. Därefter slog han sig ner hos Veronika Hammar.

I det ögonblicket befann sig alltså sex personer på kaféet, fyra gäster, Linn Blomgren och en kallskänka i köket. Gästerna utgjordes av Veronika Hammar och den okände mannen, en ensam äldre man som löste korsord vid ett bord och Emma Winarve. Mannen med korsordet hann lämna kaféet först. Återstod Emma Winarve som blev det enda vittnet till händelsen. Precis vid tidpunkten för mordet var kallskänkan upptagen i köket och Linn hade just fått telefon och pratade fortfarande när den okände mannen passerade henne och försvann ut. I nästa sekund hörde hon rop utifrån kaféet. Då hade Emma upptäckt att damen vid bordet intill fallit ihop. Linn ringde efter ambulans.

– Vilken fräck jäkel, utbrast Smittenberg. Att han bara vågade.

– Iskallt, höll Sohlman med. Hur kommer det sig att han väljer så offentliga platser för sina mord? Är han en sån där som triggas av risken att bli upptäckt?

– Mycket möjligt, sa Knutas. De här båda dåden tyder onekligen på det. Att han söker uppmärksamhet. Men vi återkommer till den frågan. Först vill jag ha alla fakta på bordet. Erik?

Sohlman redogjorde för spåren vid brottsplatsen.

– Gärningsmannen har lyckats med det som troligen var hans mål från början. Veronika Hammar har av allt att döma förgiftats med cyanid, precis som Viktor Algård. Giftet hade hällts i ett glas Ramlösa som stod på bordet. Hon dog inom loppet av några minuter. Emma Winarve som gav henne konstgjord andning fick i sig så pass mycket av cyanidgas att hon förlorade medvetandet. Hennes tillstånd är allvarligt och hon ligger på intensiven. Veronika Hammars kropp har förts till bårhuset och jag hoppas att vi får hit en rättsläkare nu i kväll. Vi har haft problem med att få tag på nån. Mannen kom alltså in på kaféet bara några minuter efter Veronika Hammar. Uppenbarligen kände de varandra. Kanske hade de stämt träff eller så skuggade han henne dit. Polisbevakningen hade ju tyvärr avbrutits. Och larmpaketet hade hon inte så mycket nytta av i det här läget, tillade han ironiskt.

– Det finns inga direkta spår, förutom glaset, fortsatte Sohlman. Inga fingeravtryck på flaskan med Ramlösa eller hans kaffekopp. Enligt servitrisen bar han tunna handskar i skinn, typ bilhandskar med små lufthål i som folk använde på sextiotalet, om ni kommer ihåg hur de såg ut. Gärningsmannen satt där i högst tio minuter innan han försvann utan att lämna så mycket som ett hårstrå efter sig.

– Pratade servitrisen med honom? frågade Karin.

– Nej, han sa inte ett ord. Vi har fått ett bra signalement på gärningsmannen, fast det låter onekligen som om han var förklädd, så frågan är vad de här vittnesuppgifterna ger egentligen, suckade han. En sak vet vi i alla fall. Det är en man som är mördaren – frågan är vem han är.

– Ett ögonblick, sa Knutas.

Han reste sig och drog ner den vita duken längst fram i rummet. Karin som satt närmast strömbrytaren släckte ljuset. Knutas klickade fram en bild med hjälp av datorn. Han hade bara snabbt hunnit berätta om sin teori för Wittberg. Ingen annan visste vem som var mördaren de sökte. Man kunde nästan ta på tystnaden i rummet.

Ett ansikte täckte duken. Det var en passbild som visade en man i fyrtioårsåldern. Han var blond med mörka ögon och ett öppet och sympatiskt ansikte. Ingen kunde undgå att se den slående likheten med Veronika Hammar. Mannen var slätrakad och hade kortklippt frisyr. Han såg proper ut och smålog mot kameran. Knappast sinnebilden av en dubbelmördare. Knutas klickade fram en ny bild, ett helt annat porträtt av en och samma person.

Den var tagen ur brottsregistret femton år tidigare. En snaggad kille med skäggstubb och vild blick, hatiskt stirrande in i kameran. Mannen visade upp två vitt skilda ansikten.

– Det här är den äldsta brodern Mats, som enligt sin chef har befunnit sig på Mallorca i två veckor. Det stämmer inte. Mats infann sig aldrig på flygplatsen, enligt charterbolaget. I stället har han flackat mellan Stockholm och Gotland. Jag tror att det här är mannen vi letar efter.

Ett sus gick genom rummet.

– Halvbrorsan, han som hade växt upp hos fosterföräldrar, suckade Smittenberg.

Allas blickar hängde vid porträttet. Knutas redogjorde för vad Mikaela Hammar hade berättat om Mats Andersson och fortsatte sedan:

– Han är fyrtioett år gammal och bor på Södermalm. Veronika födde honom på Visby lasarett 1966. Hon var bara femton år då. Pappan vet ingen vem det är, det står "fader okänd" i folkbokföringen. Den här Mats är ensamstående utan barn och jobbar på en pläteringsverkstad i Länna industriområde i Haninge.

– Pläteringsverkstad – vad tusan är det? undrade Wittberg.

– De håller på med ytbehandling av metall. Och enligt chefen på verkstaden används framförallt ett ämne i den processen – nämligen kaliumcyanid.

Knutas gjorde en konstpaus medan hans kolleger smälte informationen.

– Han har en rätt mörk historia den här killen. Uppvuxen i en rad olika fosterfamiljer, dömd för misshandel flera gånger, häleri och småstölder. De senaste tio åren finns ingenting på honom, han verkar ha hållit sig i skinnet.

Sohlman kastade en blick på sitt armbandsur.

– Klockan är kvart över sju. Mordet inträffade runt halv fyra. Men var är den här Mats just nu?

– Han har inte flugit från Visby under eftermiddagen, åtminstone inte under sitt rätta namn, sa Knutas. En båt till Nynäshamn lämnade Visby kvart i fem och han kan gott och väl ha hunnit med den. Den kommer in till Nynäs klockan åtta och vi har bett att de ska hålla kvar alla passagerare tills båten är genomsökt. Det lär bli ett jäkla hallå, men det får vi ta.

Minnet av föregående års mördarjakt flimrade förbi. Även den gången hade polisen stoppat Gotlandsbåten, men till ingen nytta, trots att gärningsmannen faktiskt befann sig ombord. Han kastade en förstulen blick på Karin. En brännande ilning sköt blixtsnabbt genom kroppen. Dilemmat gjorde sig påmint. Skulle han verkligen kunna bära Karins hemlighet? Han fortsatte:

– Kollegerna i Stockholm har varit i lägenheten, men där fanns han inte. Jag vet att de skulle söka hos hans bror Simon som han har bäst kontakt med. Han bor dessutom bara ett stenkast därifrån, på andra sidan Slussen.

– Frågan är var han har bott när han har varit här på Gotland, sa Knutas. Jag har bett att alla hotell, pensionat, vandrarhem, stugbyar och campingplatser går igenom sina gästböcker. Tyvärr lär det väl ta tid innan vi får in uppgifter från alla.

– Han har ju en brorsa här på Gotland, sa Karin. Vad är det som säger att han inte är där?

Samtalet kom först när Johan och Pia var på väg till kaféet där Veronika Hammar mördats. Pia förstod direkt när Johan svarade att något allvarligt hänt.

Läkaren meddelade att Emma låg på intensiven. Hon hade befunnit sig på kaféet dit de var på väg. Hon skulle ju uträtta ärenden, tänkte han förvirrat.

I samma ögonblick rundade de rondellen vid Norrgatt och Pia styrde in mot Norderport.

– Till lasarettet, skrek han, fortfarande med luren vid örat. Vi måste till lasarettet!

Pia kastade snabbt om ratten och stirrade förskräckt på sin kollega.

– Vad är det som har hänt?

– Emma ligger på intensiven. Hon var där på kaféet när Veronika Hammar mördades och försökte rädda henne och nu är hon själv skadad.

Han bankade med knytnäven på passagerardörrens insida. Helvete, helvete, helvete.

Pia tvärstannade utanför sjukhusentrén så det skrek i asfalten. Hon ropade efter honom när han kastade sig ur bilen.

– Det ordnar sig, Johan, hon klarar sig!

Hon hörde själv hur tunt hennes ord klingade.

När mötet med spaningsledningen var avslutat satte sig Knutas vid skrivbordet och slog numret till Simon Hammar i Stockholm. Ingen svarade. Signalerna ekade tomt i örat. Han suckade och gick ut i korridoren och hämtade en kopp kaffe vid automaten. Allt snurrade på för fullt och polisen hade gått ut med rikslarm efter Mats Andersson. Knutas funderade över hans motiv. Var han så ivrig att döda sin mor för att hon lämnat bort honom när han var nyfödd? Och varför kom han på det just nu, vid fyrtioett års ålder?

Tankarna på Karin och hennes barn flimrade förbi. Parallellerna gick inte att bortse ifrån. På samma gång fanns viktiga skillnader. Mats hade försökt ta kontakt med sin biologiska mamma flera gånger, men blivit avvisad. Karin hade aldrig hört av sin dotter. Och han blev inte bortadopterad utan lämnades att bo hos olika fosterföräldrar. Och vilken roll spelade de nyupptäckta halvsyskonen i dramat? Återigen slog han numret till Simons tillfälliga adress i Gamla stan. Han var på vippen att ge upp när luren plötsligt lyftes, men rösten tillhörde inte Simon.

– Ja, hallå.

– Hallå? Det är kriminalkommissarie Anders Knutas här, jag söker Simon Hammar.

– Anders Knutas – vad i herrans namn står på?

Den djupa, knarriga rösten gick inte att ta miste på. Knutas hade jobbat tillsammans med kommissarie Kurt Fogestam vid Stockholmspolisen vid flera tillfällen.

– Kurt! Jag skulle kunna fråga dig samma sak. Varför svarar du på det här numret? Själv är jag väldigt angelägen om att få fatt i Simon Hammar.

– Ja, nog finns han här alltid, sa Fogestam bedrövat. Men tyvärr är du för sent ute. Simon Hammar är död.

Knutas tappade hakan.

– Larmet kom alldeles nyss. Han har ramlat ut från fönstret på fjärde våningen. Rätt ut på Kornhamnstorg här i Gamla stan, torget som vetter mot Slussen om du vet? Det har blivit ett jäkla kaos, helt stopp i trafiken och en massa folk som har samlats på platsen. Vi har inte ens hunnit få undan kroppen. Det verkar som mord, det finns tecken på strid i lägenheten. Jag kan ringa dig senare. Men hur kommer det sig att du söker Simon Hammar?

– Hans mamma mördades här på Gotland för bara några timmar sen. Hon förgiftades med cyanid, precis som Viktor Algård på kongresshallen.

– Det var själva fan.

En förlamande känsla av otillräcklighet fyllde Knutas när han långsamt lade ner luren efter samtalet med Kurt Fogestam i Stockholm. Polisen låg hela tiden steget efter. Mats Andersson hade av allt att döma först mördat sin mor och sedan sin bror. Hade Simon vetat om att han var gärningsmannen och hotat att avslöja honom? Var det därför han hade tystats? Mordet på Simon tycktes ha skett plötsligt, i vredesmod. Planerade man ett mord på någon var det väl knappast ett sådant tillvägagångssätt man skulle välja, resonerade Knutas. I och för sig verkade Mats Andersson triggas av offentligheten, men det fanns flera besvärliga omständigheter. Att lyckas få ut en människa genom ett fönster på fjärde våningen och kasta ut honom mitt i centrala Stockholm utan att bli sedd måste betraktas som en så gott som omöjlig uppgift. Därtill hade Simon säkerligen gjort ett betydande motstånd, han var både lång och muskulös. Om han inte var drogad förstås, eller förgiftad. Men varför kasta ut honom genom fönstret? Han hade väl kunnat döda honom med cyanid på samma sätt som de två andra?

Hur mördaren sedan kunnat lyckas med att lämna fastigheten och ta sig från platsen utan att gripas var en annan fråga.

Knutas trodde inte för ett ögonblick att gärningsmannen självmant skulle välja att göra det så svårt för sig. Nej, mordet på Simon måste ha skett brådstörtat.

Var det över huvud taget genomförbart för samma person att begå de två morden med bara några timmars mellanrum? Han gjorde en snabb kalkyl i huvudet. Jovisst, flyget mellan Stockholm och Visby tog bara trettio minuter. Taxi mellan Bromma flygplats i Stockholm och Gamla stan ungefär lika länge.

Motivet till mordet på Simon förbryllade honom. Var det så att Mats nu var på väg att mörda sina övriga syskon? Eller hade han redan gjort det? Andreas Hammar bodde ensam ute på landet och kunde säkert bli liggande i dagar innan någon hittade kroppen. Plötsligt greps Knutas av en stark oro.

Han reste sig och sträckte sig efter tjänstevapnet, knackade på hos Karin.

– Ta hand om Stockholm! ropade han till Rylander på vägen ut. Se till att systern på Vätö får skydd – omgående!

Han satt tyst och sammanbiten i bilen medan Karin trampade gasen i botten söderut. Mikaela hade berättat att Simon och Mats brukade föra förtroliga samtal. Simon hade berättat för henne hur mycket de betydde för honom, vilket stöd Mats var. Var det de samtalen som hade utlöst morden? Andreas Hammar svarade inte i telefonen och Knutas oro växte. Visserligen skulle Mats omöjligen ha hunnit dit efter mordet på Simon, men mycket väl före.

Karin gasade ner mot Hablingbo så det tjöt i kurvorna. Sirenerna var påslagna och bilarna på vägen vek lydigt undan. Knutas telefon ringde igen. Det var Fogestam.

295

– Du, det verkar inte vara nåt mord det här. Vi trodde det först eftersom några stolar välts omkull. Nu har vi hittat självmordsbrev och dessutom har flera trovärdiga och av varandra oberoende vittnen uppgett att de sett Simon Hammar hoppa självmant.

– Jaså? Vad är det för brev ni har hittat?

– Det är fyra kuvert. De stod på spiselkransen och är adresserade till olika personer.

– Vilka då?

– Ett är till Veronika, ett till Katrina, ett till Daniel och ett till Mats.

– Kan du se till att faxa över dem till oss så fort som möjligt? Har du läst dem?

– Ja. Jag har kollat lite snabbt. Han skriver att han är ledsen att han gör det han gör, men att han inte ser nån annan utväg. Brevet till mamman är rätt läskigt, det verkar som om han beskyller henne för att han inte vill leva längre. Att hon är så krävande att han inte orkar.

– Och nu är hon också död. Hon dog för helvete ungefär samtidigt.

– Ja, det är för jävligt. Jag måste fortsätta här. Men nu vet du hur det ligger till.

När Karin bromsade in vid gården i Hablingbo hade det blivit mörkt. Gårdsplanen låg öde, inga skällande hundar, inte en människa. Den röda pickup som Andreas kört senast de besökte honom var borta. Knutas tittade på klockan. Hon var kvart över tio.

De tog sig försiktigt fram till huset. Det verkade tomt. Inga lampor var tända. Knutas smög sig upp på förstukvisten och kände på dörren. Den var olåst. Långsamt gick de igenom rum efter rum med dragna pistoler men kunde ganska snart konstatera att huset var tomt.

Gruset knastrade under deras fötter när de rörde sig kring huvudbyggnaden. Medan de letade igenom gården hann flera polisbilar dyka upp.

Poliserna samlades på gårdsplanen och delade upp sig. Knutas och Karin satte sig i bilen igen för att åka till lammhuset och hagen där de varit tidigare och förhört Andreas medan han vägde in tackor. Kanske var Andreas där, eventuellt tillsammans med Mats. Knutas hoppades innerligt att de inte skulle komma för sent.

De svängde ut på den nattsvarta vägen mot Havdhem. Gatubelysning saknades och bebyggelsen här ute var sparsam. Ljusen från en och annan gård glimmade till långt borta. De åkte under tystnad, som om de båda befarade det värsta.

– Minns du var du ska ta av? frågade Knutas.

– Jodå, det är här framme.

Karin svängde in på en liten grusväg och de hade inte hunnit många hundra meter förrän en skock får blockerade vägen. Karin var tvungen att stanna.

– Vad i helsike? suckade hon.

Fler och fler dök upp. Alla bräkte intensivt. Ljudet växte till en öronbedövande kakofoni. Med sina öppna munnar och döda blickar såg de spöklika ut i skenet från bilens lyktor. Karin tutade och tryckte på gasen, men fåren vägrade flytta på sig. De omringade bilen, pressade sig emot den som om den var deras enda trygghet.

– Vad fan gör vi?

– Det kan inte vara så långt till lammhuset, sa Knutas. Vi får lämna bilen och gå.

Johan satt i väntrummet på intensiven på Visby lasarett. Han fick inte komma in till Emma. En sköterska hade erbjudit honom något att dricka. Han förmådde knappt svara. Kroppen var bedövad, huvudet tomt. Satt bara där, alldeles still och stirrade i golvet. Ville inte röra sig förrän de kom ut och sa att Emma skulle bli bra.

Plötsligt öppnades dörren till väntrummet. Johan iddes inte lyfta på huvudet för att se efter vem det var som kom.

Personen satte sig på stolen bredvid.

– Hur är det med henne?

Han kände igen rösten. Hade inte förväntat sig att se honom här. Olle, Emmas före detta.

– Jag vet inte, svarade han. Jag vet ingenting.

Klockan tickade taktfast på väggen. Minuterna segade sig fram. De båda männen och fäderna till Emmas barn satt tysta bredvid varandra och väntade, utan att veta på vad.

Olle trummade med fingrarna mot byxbenet. Johan stirrade på hans ådriga händer, samma ringfinger som i åratal burit Emmas vigselring, samma händer som hållit Emmas, som bytt blöjor på deras två barn, som lagat mat och snickrat

299

på huset i Roma. Tidigare kunde han bli arg eller svartsjuk när han fick sådana tankar. Nu erfor han i stället en märklig känsla av samhörighet. De hade Emma gemensamt, han och Olle. Deras historia tillsammans skulle han aldrig kunna radera bort. Och varför skulle han vilja göra det? Sara och Filips ansikten fläktade förbi. Det var deras pappa som satt där, grå i ansiktet och med huvudet i händerna. Johan slöt ögonen.

Ingen av dem sa något.

Kroppar överallt, vita ulliga, omfångsrika, varma. Dessa ögon, hundratals par stirrade på honom. Det fanns inget i blickarna. Ändå en trygghet. De stod samlade i ena hörnet av hagen, närmast huset.

Han hade klivit upp på motorcykeln och kört ut ur stan. Lämnat kaféet och den mörka ängeln i dödsryckningar. Det var vad han kallade henne i sina tankar – den mörka ängeln. När han var barn såg han henne som en ljus och vacker ängel som skulle komma och rädda honom en dag. Men hon var inte som han trodde. Hon var svart, ondskefull, tillintetgörande. Han hade gjort rätt.

Lättnaden kom som en yrsel och tvingade honom nästan av vägen. Han stålsatte sig. Måste komma ut, snabbt. Han var på väg hem. Hemma var för honom hos de tre människor som var de enda som någonsin brytt sig om honom. På riktigt. Öppnat sin famn för honom, omhuldat honom, välkomnat honom. Hans tre syskon. Känslan var ny och den förändrade hela hans världsbild i grunden. Plötsligt fanns ett sant skäl att leva.

Just nu längtade han efter att berätta för Simon, men först

skulle Andreas få veta när han ändå var så nära. Han kunde helt enkelt inte hålla sig. Han skulle spricka om han inte fick dela detta med någon.

För första gången i sitt liv kände han sig meningsfull.

Han passerade hamnterminalen med de stora vita båtarna som senare på kvällen skulle ta honom därifrån.

Innan han gav sig iväg ville han träffa sina syskon en gång till. Det kunde dröja länge innan nästa tillfälle bjöds. Han blev varm i hjärtat när han tänkte på dem. Andreas var den starke, trygge som alltid skulle finnas där. Med Mikaela hade han känt en stark samhörighet. Hon hade öppnat sig för honom, berättat om sina ätstörningar och hur hon skurit sig. Hur hon hade haft problem med sina relationer, aldrig vågat lita på någon. Det hade ändå gått bra för henne till slut, hon hade funnit en man som älskade henne över allt annat.

Och allra närmast stod honom Simon. Ända från första början hade han känt en speciell samhörighet med sin yngste bror. De hörde ihop. Som de hade pratat. I början var det mest Simon som lyssnade på honom, som förstod precis vad han menade. Tog det han berättade till sitt hjärta, hjälpte och stöttade honom. Lyssnade på all skit han burit på i alla år. Plötsligt behövde han inte längre bära sin börda själv. Han kunde dela den med någon, lättnaden var obeskrivlig. Han hade hittat sin familj.

Sedan hade kraschen med Katrina inträffat och rollerna blev ombytta. Han hade häpnat över allt som Simon tvingats gå igenom under sin uppväxt. Alldeles ensam, utan stöd från någon enda människa. Det slog honom så tydligt. Hur utsatta och isolerade de tre syskonen hade varit, trots att de hade en mamma, en egen familj. Sorgen gjorde honom matt. Sedan tog ilskan över. Han var den som måste ställa allt till rätta. Det fanns en mening med allt. Han skulle rädda framförallt Simon som gick allt djupare in i sin depression.

De regelbundna samtalen de förde gjorde honom förtvivlad. För att över huvud taget lyckas få ut sin bror ur lägenheten där han barrikaderat sig, hade han krävt att de skulle träffas hemma hos honom och bara prata, åtminstone en gång i veckan. I takt med att bilden av deras mamma växte fram grodde hatet i honom, mer och mer för varje dag. Hämndbegäret.

Han hade sett sin nyfunne lillebror brytas ner, bit för bit. Simon var den ende som ännu inte lyckats frigöra sig. Och ju längre tiden gick, ju längre samtalen sträckte sig, desto mer övertygad hade han blivit. Det fanns bara ett sätt att göra Simon fri. Att ge honom tillgång till sitt eget liv som han hade all rätt till. Han hade sett parallellerna dem emellan. En låsning som satt där, djupt i deras hjärtan. Ett hinder mot livet. Själv var han fyrtioett och hade aldrig lyckats hålla ihop en relation.

Behovet att rädda Simon från undergång blev akut.

I samma veva började brodern komma med antydningar om att han inte ville leva längre och därigenom skyndades processen på ytterligare.

Han andades in djupt och blåste sakta ut luften genom näsan.

Det skulle bli ändring nu. Hans tre syskon hade med sin kärleksfullhet gett honom tron på att han faktiskt var värd något, trots allt. Att det skulle finnas någon även för honom.

Det riktiga livet skulle äntligen ta sin början. Han hade räddat sin bror, kommit i fas med sig själv. Han lyssnade efter sirener, men det kom inga. Inte en polisbil på vägen. Han var ändå inte rädd längre.

Framme vid gården parkerade han motorcykeln och skyndade in mot huset. Han ringde på. Ingen svarade och dörren var låst. Hundarna var inte ute på gården och inga skall hördes inifrån huset. Andreas bil stod inte på uppfarten. Då fanns det bara ett ställe han kunde befinna sig på.

Han hoppade upp på motorcykeln och drog iväg så att gruset fräste i marken.

Knutas och Karin fortsatte framåt i mörkret. Fåren hade följt efter dem en bit, men gett upp så småningom, troligen när de insåg att de inte skulle få någon mat hur mycket liv de än förde. Någon måste ha släppt ut dem, frivilligt eller av misstag.

De skyndade över åkrar och ängar. Mörkret hindrade dem från att gå för fort fram. Marken var ojämn med stenar och stubbar och Knutas hade redan snubblat flera gånger. Karins hjärta bankade i bröstkorgen. Den senaste tidens händelser flimrade förbi i hennes huvud medan de sprang. Tre ansikten dök upp på näthinnan; Andreas, Mikaela och Simon – alla tre – var och en med sin sorg och sin ensamhet. Och så Mats, mannen med två ansikten. Som lämnats bort till okända, precis som hennes egen dotter som hon bara fått träffa några minuter. Men de minuterna hade påverkat hennes liv, allt hon gjorde. Hon sprang för allt vad hon var värd. Hon skulle rädda honom, måste rädda honom innan han gjorde något mer vansinnigt. Bara de hann före.

Så dök ljusen upp från lammhuset. Gudskelov. Nu var det inte långt kvar. Fårstallet var en avlång byggnad i trä med tak av korrugerad plåt. Byggnaden som säkert var hundra meter lång var avdelad med bås där tackorna kunde lamma i lugn och ro. Lamningstiden var över och nu gick både tackor och lamm ute på bete.

Några får som stod i en utomhusbox bräkte när de kom fram. Både den röda pickupen och motorcykeln hade parkerats utanför byggnaden. Dörren stod lite på glänt, men det var mörkt därinne. Knutas smög först fram. Han stack in armen och försökte vrida om strömbrytaren. Inget hände. Lampan var trasig. Dörren knarrade när de klev in. Ljuset från taket som lyste in genom de dammiga fönstren ledsagade dem. Inte ett ljud hördes, förutom ett och annat dystert bräkande från fåren utanför.

Långsamt rörde de sig utefter raden av boxar. Plötsligt ropade Knutas till.

– Det är något här. Kom!

Bland höbalarna i boxen kunde de urskilja en man som låg på rygg i höet.

– Fan i helvete, utbrast Karin. Vi kom för sent.

Till sin förargelse kände hon hur tårarna brände innanför ögonlocken. *Lägg av, din idiot. Du känner inte ens de här människorna.*

Långsamt öppnade Knutas boxdörren och klev in. Flämtade till när han såg ansiktet.

Det var inte Andreas.

Johan visste inte hur lång tid som förflutit när dörren äntligen öppnades. En vit, manlig läkarrock. Ett par glasögon, ett allvarsamt ansikte. Johan såg suddigt, som i ett töcken. Medan han iakttog läkaren som kom emot dem långt borta i korridoren dök minnesbilder upp i huvudet. Fragment av hans liv tillsammans med Emma.

Hennes hand som frenetiskt kramade hans när hon födde Elin, leendet när hon sa ja till honom i kyrkan, den febriga blicken när de älskade. Ett smågnabb vid frukostbordet häromdagen, Emma i sin vita morgonrock och en handduk om huvudet när hon kom ut från badrummet, när hon kokade kaffe i köket.

Läkaren var framme hos dem, stod alldeles intill. Johan vågade inte titta upp.

– Det är över nu. Alltså det värsta. Hon är utom fara, hon klarar sig. Barnet också.

– Barnet? viskade Johan.

Knutas stod blick stilla och försökte samla tankarna. Han kände igen Mats från fotografierna. Nu låg han här, med ögonen i taket. Blicken var tom, kroppen lealös, men han andades.

– Mats, jag heter Anders Knutas och är polis. Du är härmed gripen, misstänkt för mord på Viktor Algård och Veronika Hammar. Hör du vad jag säger?

Han hukade sig ner och ruskade om Mats axlar. Ingen reaktion. Mannen verkade helt apatisk.

I nästa ögonblick dök två personer med ficklampor i händerna upp i dörröppningen. De tvärstannade förvånat när de fick syn på de bägge poliserna. Knutas flyttade förvirrat blicken från den ena till den andra. Han fick inte ihop scenariot. Fårbonden Andreas Hammar och TV-fotografen Pia Lilja, hand i hand. Till råga på allt hade Karin sjunkit ihop på golvet och stirrade glasartat framför sig. Som om hon drabbats av en blackout.

Så vred mannen på golvet plötsligt på huvudet och såg på Knutas. Ansiktet utstrålade en sådan smärta att Knutas nästan ryggade tillbaka. Långsamt lyfte Mats ena armen, han höll ett föremål i handen. Under en tiondels sekund blixtrade känslan av fara till i Knutas hjärna. Var det ett vapen? Lättad konstaterade han i nästa ögonblick att det var en mobiltelefon. Mats röst darrade när han viskande ställde sin fråga:

– Stämmer det här?

Förvirrad försökte Knutas få ihop bokstäverna på den lilla upplysta skärmen. Meddelandet var kortfattat, men förkrossande.

"Simon är död. Ring mig" /Mikaela

Knutas stod vid fönstret i sitt arbetsrum, såg ut över den regnvåta parkeringen. Han stoppade pipan och funderade över de senaste dagarnas dramatiska händelser. Fallet hade påverkat honom ovanligt starkt, ända från början. Kanske för att det hade fått honom att allvarligt fundera över sin egen föräldraroll. Strax före morddramat inträffade misshandeln av Alexander Almlöv. Hans egen son, Nils, hade blivit vittne utan att våga eller vilja berätta det för sin polis till pappa.

Knutas hade under de senaste veckorna brottats nästan lika mycket med den frågan som den om vem som var gärningsmannen.

Mats Anderssons öde var tragiskt från början till slut. Han ville rädda sin nyfunne och älskade bror från undergång genom att ta livet av deras mamma, men Simon hade hunnit före. Knutas förstod hur chockad och lamslagen Mats måste ha blivit efter beskedet om sin brors död. Allt hade varit förgäves. Det han planlagt i månader var till spillo.

Mats hade till sist berättat hela historien om sina enträgna försök att rädda sin lillebror från deras mamma. Till slut fanns det i hans ögon bara en utväg. Att döda mamman, förinta henne innan hon förintade den familj han till sist hade funnit. Brodern Simon hade i sin tur under hela sitt liv försökt rädda henne, göra henne lycklig, ordna upp hennes liv. Ett uppdrag som skulle visa sig omöjligt. Båda hade förvandlat sig själva till räddande änglar och allt hade slutat i katastrof.

En människa kan aldrig rädda en annan, tänkte Knutas bittert. Människan måste rädda sig själv.

Märkligt ändå att det hade gått så pass bra för Veronika Hammars barn, trots de svåra förhållanden som rått under uppväxttiden och deras extremt krävande och besvärliga mor. Åtminstone Andreas och Mikaela hade lyckats skapa en väl fungerande tillvaro och de verkade må hyfsat.

Och de hade förmågan att älska. Hade de fått det från någon annan eller var det styrkan i livet självt?

Han avbröts i sina funderingar av att Karin knackade på dörren.

– Kom in.

Hon satte sig i hans besökssoffa. Knutas kände på sig att det var något särskilt hon ville säga och slog sig ner mittemot.

– Hur är det?

– Jo, bra.

Hon log, hennes mörka ögon hade fått tillbaka sin gamla vanliga glans. Det gladde honom.

– Jag har bestämt mig för att söka upp min dotter. Lydia.

Knutas sa inget. Han reste sig ur soffan, gick över på hennes sida och kramade om henne. Hon kröp in i hans famn och låg där länge medan han strök henne över håret.

Han hade funderat fram och tillbaka på hur han skulle

311

hantera det som Karin avslöjade för honom i Stockholm. Som han våndats. Han visste varken ut eller in och han kunde inte rådgöra med någon.

Karin hade med berått mod låtit en dubbelmördare gå fri. Kanske var hon vansinnig. Kanske skulle han komma att få ångra det beslut han var på väg att fatta.

Men i den stunden visste han ändå att han aldrig skulle kunna avslöja henne.

Aldrig någonsin.

Epilog

Ljuset i lägenheten är tungt grått, liksom staden långt ned-anför. Slussens eviga kretslopp med den ständiga ström-men av bilar. Envist fortsätter de att komma från alla håll likt vener till ett pumpande hjärta. Sprider sig sedan vidare ut i den stinkande kropp som är Stockholm.

Tiden är inne. Jag känner mig närmare mig själv än jag nå-gonsin varit. Tidigare har jag levt genom andra, för andra, för att göra andra människor till lags. Försökt leva upp till något. Och misslyckats.

Jag har spelat en roll ända från första början.

En enorm trötthet har kommit över mig. Jag behöver inte mer. Inte kämpa mer. Inte lida mer. Snart är det över. Jag tittar ut över staden. Främmande inför detta livet. Allt som pågår. Orkar inte vara en del av det längre.

Jag hade en dröm. Att få leva mitt liv som andra människor. Arbeta, resa, uppleva. Ge och ta emot kärlek. Människor, er-farenheter, bygga relationer och växa. Tänka sig en framtid, med familj, trygghet och kärlek.

Det finns inte längre. Inte menat för mig. Jag fick en son

som jag älskar. Jag hoppas att han ska få uppleva alla dessa saker. Att han kan ta vara på sitt liv.

Mitt ögonblick på jorden är över. Sol, vind, snö, regn – aldrig mer får jag uppleva vädrets växlingar. Höra stormens vinande över havet. Se morgonen gry.
Om en liten stund är det bara natt.

Jag ser fram emot att få omfamnas av mörkret. Tänker mig döden som en stor trygg kvinnofamn. Kanske är det så, att vi går tillbaka dit vi en gång började. I vår mors kropp, i hennes livmoder, i det mjuka, gungande, tysta mörkret, ovetande om vad som väntar.
Kanske är det så.

Jag tar fotografiet på Katrina och Daniel och kysser det ömt. Jag ska hålla mina älskade i handen när jag dör.
Så är jag inte ensam.

Författarens tack

Denna historia är helt och hållet påhittad. Alla likheter mellan karaktärerna i romanen och existerande personer är tillfälligheter. Ibland har jag tagit mig den konstnärliga friheten att förändra verkligheten till förmån för berättelsen. Det gäller bland annat Sveriges Televisions bevakning av Gotland som i boken sköts från Stockholm. All heder åt SVT:s regionala nyhetsprogram Östnytt som bevakar Gotland med permanent team stationerat i Visby.

Miljöerna i boken beskrivs nästan uteslutande som de ser ut i verkligheten, undantag förekommer.

Eventuella fel som smugit sig in är alltid mina egna.

Först och främst vill jag tacka mitt ständiga bollplank och största stöd, min man, journalisten Cenneth Niklasson.

Även stort tack till:

Magnus Frank, kriminalkommissarie Visbypolisen
Johan Gardelius, kriminaltekniker, Visbypolisen
Ulf Åsgård, psykiater
Martin Csatlos, Rättsmedicinska avdelningen i Solna
Lena Allerstam, journalist SVT
Mian Lodalen, författare och journalist

Anita Forsberg, fårbonde Havdhem
Nina Pettersson, konferenskoordinator Wisby Strand
Sara Hullegård, marknadschef Wisby Strand

Tack också till alla som hjälpt till med mina böcker på Albert Bonniers Förlag, främst min förläggare Jonas Axelsson och min redaktör Ulrika Åkerlund – ni är ovärderliga.

Även stort tack till min agent Bengt Nordin och Anna Rytterholm på Nordin Agency.
Tack också min formgivare Sofia Scheutz för de nya, tuffa omslagen.

Och förstås mina barn Rebecka och Sebastian, mina största hjärtan!

Stockholm i april 2008
Mari Jungstedt

www.jungstedtsgotland.se
www.marijungstedt.se